Team Deutsch

Allemand 1re

Lycée

NEU!

Sous la direction de :
Bettina Cuissot-Lecoeuche
IA-IPR d'allemand en détachement
Académie de Strasbourg

Sara Bento
Professeure certifiée
Lycée Montaigne, Mulhouse (68)

Ulrike Chopin
Professeure agrégée
Lycée Adrien Zeller, Bouxwiller (67)

Pierre Curs
Professeur agrégé
Lycée Stanislas, Wissembourg (67)

Angela Seidack
Professeure agrégée
Lycée Camille Sée, Colmar (68)

Tania Staath
Professeure agrégée
Lycée Lavoisier, Mulhouse (68)

Auteurs de l'ancienne édition :
Elke Körner, Barbara Ceruti, formatrices d'allemand
Agnès Levicky, IA-IPR, académie d'Aix-Marseille
Ulf Sahlmann, professeur agrégé, lycée Georges Duby, Luynes (13)

Édition
Barbara Ceruti

Lecture et correction
Claire Jost

Conception graphique couverture
Oscar García Ortega

Conception graphique intérieur
Roser Cerdà

Mise en page
Veronika Plainer

Crédits photographiques
Couverture : 1 Bernd Wittelsbach/iStockphoto.com ; **2** aldomurillo/iStockphoto.com ; **Unité 1 : p. 4.1** © Wise Guys ; **p. 4.2** nantanelginting/Fotolia.com ; **p. 5.1-6** © www-helpster.de / Autoren: Sarah Müller, Maria Ponkhoff ; **p. 6.1** mariesacha/Fotolia.com ; **p. 11.1** © Mobile-Box c/o Schumacher von Pidoll GbR 2013 ; **Unité 2 : p. 13.1/3/5/7/9/11** © Auswärtiges Amt/Deutschland – Land der Ideen ; **p. 13.2** Gino Santa Maria/Fotolia.com ; **p. 13.4** Salvatore Billeci/Fotolia.com ; **p. 13.6** willypd/Fotolia.comComp ; **p. 13.8** Jose Hernaiz/Fotolia.com ; **p. 13.10** Andrey Armyagov/Fotolia.com ; **p. 13.12** Syda Productions/Fotolia.com ; **p. 15.1** F. Schmutzer, 1921/Wikimedia Commons ; **p. 17.1** Album/akg-images ; **p. 19.1** Michael Abela/dreamstime.com ; **Unité 3 : p. 23.1** jordi2r/Fotolia.com ; **p. 24.1** kartoxjm/Fotolia.com ; **p. 28.1** © Kanal 21 Offener TV-Kanal Bielefeld e.V., Bielefeld ; **Unité 4 : p. 33.1** Wikimedia Commons ; **p. 33.2** Erica Guilane-Nachez/Fotolia.com ; **p. 33.3** Meunierd/dreamstime.com ; **p. 33.4** Jessamine/dreamstime.com ; **p. 35.1** djvstock/Fotolia.com ;**p. 35.2** Natallia-Vintsik/Fotolia.com ; **p. 35.3** shock/Fotolia.com ; **p. 38.1** Rischguitz/GettyImages ; **p. 39.1** © Rabending ; **p. 41.1** Wikimedia Commons ; **p. 41.2** Keystone France/GettyImages ; **Unité 5 : p. 44.1** Album/akg-images ; **p. 44.2** Album/akg-images ; **p. 44.3** Wikimedia Commons ; **p. 44.4** vvvita/Fotolia.com ; **p. 44.4** KopoPhoto/Fotolia.com ; **p. 46.1** ksena32/Fotolia.com ; **p. 47.1** www.ralfschmarsli.de/Fotolia.com ; **p. 48.1** awhelin/Fotolia.com ; **p. 50.1** Album/akg-images ; **Unité 6 : p. 52.1** Wikimedia Commons ; **p. 56.1** Wikimedia Commons ; **p. 57.1** © www.fluechtlinge-willkommen.de ; **p. 58.1** © Jean-Paul Pastor Guzmán ; **Unité 7 : p. 59.1-2** © Bundesinstitut für Bevölkerungsforschung (BiB) ; **p. 62.1-3** © SchwörerHaus KG, Hohenstein-Oberstetten ; **p. 63.2** Wikimedia Commons ; **p. 64.1** Zwawol/dreamstime.com

Crédits textes
Unité 1 : p. 4 *Facebook*, Musik & Text: Daniel „Dän" Dickopf © Wise Guys Verlag, 2011 ; **p. 6** © pme Familienservice Gruppe ; **p. 9** © www.checked4you.de ; **Unité 2 : p. 15** www.einsteinjahr.de, Das Wissenschaftsjahr. Eine Initiative des Bundesministeriums für Bildung und Forschung gemeinsam mit Wissenschaft im Dialog ; **Unité 3 : p. 26** www.schecker.de, Jugendmagazin der Bundesregierung, Ausgabe 112, Beitrag von Luisa Zimmer, Januar 2013 ; **p. 29** www.rbb-online, Beitrag vom 3.12.2014 ; **p. 30-31** www.tagesspiegel.de, Beitrag von Katharina Ludwig ; **Unité 4 : p. 33** www.winfriedschule-fulda.de ; **p. 37** Sabine Raml, *Heldentage* © 2015 Wilhelm Heyne Verlag, München, in der Verlagsgruppe Random House GmbH ; **p. 39** Mit freundlicher Genehmigung www.phoenix.de ; **p. 41** www.seniorbook.de, Beitrag von Katrin Zinoun, 2012 ; **Unité 5 : p. 48** www.taz.de, Beitrag von Anika Maldacker, 2014 ; **p. 50** © Markus Scherrmann, Köln ; **Unité 6 : p. 52** www.reise-nach-italien.de © Wolfgang Pruscha ; **p. 56** www.bundespraesident.de ; **Unité 7 : p. 61** Mit freundlicher Genehmigung www.wg-gesucht.de ; **p. 64** www.sueddeutsche.de, Beitrag von Titus Arnu, 2013

ISBN : 978-2-35685-308-0

Imprimé dans l'UE

ÉDITIONS maison des langues
www.emdl.fr/allemand

FSC www.fsc.org MIXTE Papier issu de sources responsables FSC® C019520

INHALT

1 (R)evolutionen

I Kommunikation heute

→ Livre p. 10

1. Möglichst viele Freunde

A. Welche Definitionen passen zu welchem Ausdruck? Ordnen Sie zu.

1. ein soziales Netzwerk
2. eine Freundschaftsanfrage posten
3. die Auswirkungen
4. sagen, dass einem etwas gefällt

a. die Konsequenzen
b. Facebook
c. etwas liken
d. neue Freunde suchen

B. Markieren Sie im Songtext in zwei verschiedenen Farben die Vorteile des sozialen Netzwerks und die negativen Auswirkungen für den Protagonisten.

Ich habe 44 Freunde, alles ist in Butter.
Darunter auch mein Kumpel und ein Nachbar meiner Mutter.
Und heut' ist wieder einer dieser wundervollen Tage.
Ich bekomm 'ne brandneue Freundschaftsanfrage.
Ich glaub, das ist das Mädel von der Supermarktkasse.
Klar, dass ich mir die nicht entgehen lasse ...
Ist doch super, wenn man in der großen Stadt
möglichst viele Freunde hat.
Ich weiß genau, wann Tom seine Meerschweinchen füttert
und welche Szene welches Films die Lisl so erschüttert.
Ich kenne Tinas Zimmer im Urlaub in Tirol
und weiß: Ihr kleiner Sohn fühlt sich grade nicht so wohl.
Melina hat aktuell 'n bisschen Langeweile,
Olli sucht verzweifelt seine Nagelfeile.
Das sind Informationen und das ist ja das Nette,
die ich sonst nicht hätte.

(Refrain) Bevor ich morgens schnell bei Facebook reinguck,
hab ich keine Ahnung, wie's mir geht.
Bevor ich morgens schnell bei Facebook reinguck,
weiß ich nicht, ob sich die Welt noch dreht.

Ich hab endlich mal Kontakt zu meinem Bruder und dem Neffen.
Ich brauche die nicht mal in echt zu treffen.
Ich merke, dass ich mich mit vielen besser versteh',
seit ich sie jetzt gar nicht mehr persönlich seh'. [...]

C. Verbinden Sie die Satzglieder jeweils mit **obwohl** oder **zwar ... aber**.

1. Facebook ist ein sehr praktisches soziales Netzwerk. Man darf die Risiken nicht ignorieren. ....

2. Es ist toll, ständig mit vielen Leuten in Kontakt zu sein. Die Gefahr ist groß, süchtig zu werden. ....

3. Über Facebook kann man schnell neue Freunde finden. Man muss mit den Daten aufpassen. ....

4. Viele Jugendliche surfen rund um die Uhr im Internet. Sie sind sich der Gefahren des Internets nicht immer bewusst. ....

5. Das Internet ist ein schnelles Kommunikationsmittel. Es gibt andere gute Wege zu kommunizieren. ....

D. Lesen Sie den Songtext noch einmal. Sind folgende Aussagen richtig (**R**) oder falsch (**F**)? Notieren Sie.

Was habe ich verstanden?

☐ **a.** Der Protagonist bekommt eine Freundschaftsanfrage von einer Schulfreundin.
b. Sein Tag fängt mit Facebook an.
☐ **c.** Er kennt viele Details aus dem Leben seiner Freunde.
☐ **d.** Facebook ist für ihn nicht besonders wichtig.
☐ **e.** Er findet es besser, Freunde und Familie nicht persönlich zu treffen.

E. Welche Vor- und Nachteile könnte das Video ansprechen? Bilden Sie Hypothesen und erstellen Sie eine Liste. Die Standbilder können Ihnen dabei helfen.

1 (R)evolutionen

Vorteile 👍	Nachteile 👎

F. Sehen Sie sich das Video an und markieren Sie jeweils die richtige Aussage. **Film 1**

1. Facebook ist praktisch, weil ...
☐ **a.** es ohne Registrierung funktioniert.
☐ **b.** es schnell und effizient ist.
☐ **c.** man leicht Geld verdienen kann.

2. Mit Facebook kann man ...
☐ **a.** mit vielen Menschen in Kontakt bleiben.
☐ **b.** mit seinem Lehrer chatten.
☐ **c.** tolle Reisen planen.

3. Es ist wichtig, dass die Facebook-Nutzer ...
☐ **a.** viele Urlaubsfotos posten.
☐ **b.** persönliche Informationen schützen.
☐ **c.** alle Kontakte zu einer Party einladen.

4. Die User sollten besonders darauf achten, ...
☐ **a.** nicht mit ihrem Chef zu chatten.
☐ **b.** nicht süchtig zu werden.
☐ **c.** ein schönes Profilfoto zu finden.

3. „Ist das noch normal?"

A. Markieren Sie im Text die Wörter, die mit dem Thema „neue Kommunikationsweisen" zu tun haben.

Tobias ist 13 Jahre alt. Zum Geburtstag hat er sich ein Smartphone gewünscht. Seine Eltern haben zunächst gezögert, dann aber nachgegeben. Das neue Smartphone scheint nun sein Lebensmittelpunkt zu sein. Ständig vibriert das Gerät, WhatsApp-Nachrichten erscheinen im Sekundentakt. Tobias chattet mit Freunden, hört Musik, surft und verbringt viel Zeit auf Facebook. Auch wenn er sich mit seinen Freunden auf dem Fußballplatz trifft, ist das Handy im Fokus. Die Jungs zeigen sich gegenseitig YouTube-Videos und vergleichen die „Likes" für ihre neuesten Posts. Ständig lädt Tobias mit dem Smartphone Fotos auf Instagram hoch. Am Abend schläft er oft mit seinem Handy ein. Seine Mutter holt das Gerät dann aus seinem Bett und legt es in die Küche. Gleich nach dem Aufstehen checkt Tobias die neuesten Nachrichten seiner Freunde. Seine Eltern machen sich Sorgen. Ist das noch normal?

B. Ergänzen Sie den folgenden Lückentext mit den passenden Wörtern. Verben bitte konjugieren!

Was habe ich verstanden?

Alltag | posten | surfen | Gefahr | Sorgen | Smartphones

chatten | checken | Smartphone | süchtiger

a. Tobias' Mutter macht sich .... , weil ihr Sohn viel zu viel mit seinem Handy beschäftigt ist.

b. Tobias .... Tag und Nacht mit seinen Freunden, ... ständig im Internet, ... alle fünf Minuten seine Nachrichten und .... sehr viel auf Facebook.

c. Die Kommunikation heute läuft fast nur über ...., und die .... besteht darin, dass die Jugendlichen immer .... werden.

d. Tobias verhält sich wie alle seine Freunde: Sein .... gehört zu seinem .... und die Eltern sollten das akzeptieren, denn die Kommunikation läuft heute anders als früher.

C. Hören Sie die Meinung der Medienexpertin. Welche Informationen und Argumente hören Sie? CD p. 2 / MP3 p. 1

1. Das Thema des Interviews ist:
- ☐ **a.** Jugendliche und soziale Netzwerke.
- ☐ **b.** Jugendliche und Internetsucht.
- ☐ **c.** Jugendliche und ihr Umgang mit Smartphones.

2. Frau Schöpf erzählt, ...
- ☐ **a.** wie Teenager ihre Handys benutzen.
- ☐ **b.** wie Eltern mit dem Internet umgehen.
- ☐ **c.** wie Jugendliche in der Schule das Internet benutzen.

D. Hören Sie das Interview ein zweites Mal. Was passt zusammen? Ordnen Sie zu. CD p. 2 / MP3 p. 1

1. Fast 100 % der Jugendlichen ...
2. Surfen im Internet ...
3. Telefonieren ist wichtig, aber ...
4. 94 % der Benutzung eines Handys ...
5. Die Expertin ...

a. steht auf Platz Nummer 2.
b. ist nicht die Priorität.
c. sind online.
d. ist für die Zukunft sehr optimistisch.
e. ist für Kurznachrichten.

E. Wie ist Frau Schöpfs Meinung? Ziehen Sie mithilfe der Ergebnisse aus Aufgabe D Bilanz.

1. Frau Schöpf sagt, dass *fast 100% der Jugendlichen online sind.*
2. Sie ist sich sicher, dass ... .
3. Die Expertin meint, dass ... .
4. Sie ist der Meinung, dass ... .
5. Sie erklärt, dass... ....

F. Sollten sich Eltern Sorgen machen, wenn ihre Kinder viel im Internet surfen? Nehmen Sie schriftlich Stellung. Benutzen Sie zum Beispiel die folgenden Argumente.

JA	NEIN
- viele Gefahren im Internet sein - schnell süchtig werden können - den Kontakt zur Realität verlieren - ...	- verantwortungsvoll mit Medien umgehen - immer die Kontrolle haben - sich selber Grenzen setzen - ...

Meiner Meinung nach ...

....

....

....

....

II So ein Schrott !

→ Livre p. 13

1. Eine Reise in ein fernes Land

A. Markieren Sie in den Texten die Wörter, die mit dem Thema „Elektromüll und Smartphones“ zu tun haben.

① Bis zu 90 Prozent des weltweiten Elektromülls werden laut UN illegal entsorgt. Auf den Müllhalden in den Ländern der Dritten Welt arbeiten Kinder unter gefährlichen Bedingungen. Die Handys, Computer und TVs kommen auch aus Deutschland.

② Ein Smartphone hat in Deutschland eine durchschnittliche Lebensdauer von 2 Jahren, die von den Herstellern serienmäßig eingeplant ist. Diese „geplante Obsoleszenz“ passt zu den Verträgen der Mobilfunkanbieter, die ihren Kunden alle zwei Jahre ein neues Gerät anbieten.

③ Die Statistiken vermelden, dass 2014 insgesamt 1,3 Mrd. Smartphones weltweit verkauft wurden. Im Jahr 2010 waren es nur 300.000. Das macht einen Zuwachs von 430 % in nur vier Jahren.

B. Welche Probleme werden in den Pressemeldungen jeweils erwähnt? Ordnen Sie zu.

Pressemeldung ① **a.** Es werden immer mehr Smartphones verkauft.

Pressemeldung ② **b.** Die Firmen produzieren absichtlich Handys, die schnell kaputt gehen.

Pressemeldung ③ **c.** Die europäischen Länder schicken ihren Elektromüll in die ärmsten Länder der Welt.

C. Welche Informationen erhalten Sie in den Pressemeldungen? Notieren Sie richtig (**R**) oder falsch (**F**).

Was habe ich verstanden?

- ☐ **a.** Elektromüll wird weltweit korrekt entsorgt.
- ☐ **b.** In armen Ländern riskieren Kinder auf den Schrotthalden ihre Gesundheit.
- ☐ **c.** Die armen Länder haben Glück, dass sie durch die Schrotthalden Geld verdienen können.
- ☐ **d.** Den Herstellern geht es um Profit und nicht um den Umweltschutz.
- ☐ **e.** Das Problem ist, dass weltweit in nur vier Jahren der Verkauf von Smartphones um über 400 % gestiegen ist.

2. Darf's ein Neues sein?

A. Markieren Sie im Text die Wörter, die mit dem Thema „Umwelt und Recycling" zu tun haben.

Handys bedrohen Gorillas

Rund 1,3 Milliarden Handys sollen im Jahr 2014 weltweit verkauft worden sein, und in Deutschland gibt es sicherlich mehr Handys als Einwohner. Weil immer wieder neue Handys angesagt sind, werden die alten weggeworfen – und das führt zu wachsenden Umweltproblemen. Unter anderem im Kongo.

Was viele nämlich nicht wissen: Das Erz Coltan, das für die Herstellung der kleinen Bauteile in den Handys entscheidend ist, wird fast nur im Kongo abgebaut. Um da ranzukommen, zerstört man immer mehr Regenwald. Das ist aber nun mal der Lebensraum der dort lebenden Gorillas. Es ist also mal wieder das alte Spiel: Die Industrie wächst, wir haben den totalen Fun (in diesem Fall mit neuen Handyspielen, freakigen Funktionen usw.), und gleichzeitig geht dadurch die Umwelt den Bach runter [...]. Auf ein Handy zu verzichten, [...] ist gar nicht nötig. Wichtig ist nur, was man mit seinem Handy macht.

1. Darf's ein Neues sein? Klar, ein Smartphone ist schon ein edles Teil, doch braucht man wirklich die Funktionen, die ein ganz neues hat oder reicht vielleicht auch ein gebrauchtes? [...] Pauschal gesagt rettet jeder Tag, den ihr euer altes Handy länger nutzt, ein Stückchen Erde.

2. Ein neues oder ein gebrauchtes kaufen? [...]Solange das Handy noch funktioniert, sollte es weiter benutzt werden. Wer Geld braucht, kann durch Gebraucht-Verkauf noch ein paar Euro damit verdienen oder verschenkt es großmütig an kleine Geschwister, die sich vielleicht kein neues leisten können.

3. Die Mülltonne für kaputte Handys ist bequem, aber nicht der richtige Ort – egal, wie kaputt das Ding ist. In einem alten Handy sind immer noch Metalle, die man durch Recycling wiedergewinnen kann. Sogar wertvolles Gold [...]. Zoos und Umweltorganisationen machen sich für Handy-Recycling-Programme stark. Für jedes gespendete Handy bekommen sie einen Betrag zwischen etwa 50 Cent und 2 Euro [...].

Wem all das zu kompliziert ist, der kann beim nächsten Besuch in der Stadt das alte Handy einpacken und in einem der vielen Handyshops abgeben. Die nehmen alle alten Handys entgegen. Allerdings meist ohne Spende für die Umwelt. Ist aber auf jeden Fall besser, als einfach in den Müll schmeißen!

Aus: www.checked4you.de/handys-bedrohen-gorillas, 3. Mai 2015

B. Und was schlagen Sie vor, um den Elektroschrott zu reduzieren? Notieren Sie drei Ideen.

1. ....
2. ....
3. ....

C. Lesen Sie den Text noch einmal. Sind folgende Aussagen richtig (**R**) oder falsch (**F**)? Notieren Sie.

Was habe ich verstanden?

☐ **1.** In Deutschland sind mehr als 80.000.000 Handys in Betrieb.
☐ **2.** Der Lebensraum der Gorillas im Regenwald wird immer größer.
☐ **3.** Handys enthalten wertvolle Metalle wie Gold.
☐ **4.** Wir schützen unsere Umwelt, wenn wir Smartphones regelmäßig erneuern.
☐ **5.** Es ist kein Problem, wenn man sein Handy in die Mülltonne wirft.

D. Wozu sich für die Umwelt engagieren? Bilden Sie Sätze mit **um ... zu ...**

Ich möchte mich für die Umwelt engagieren, ...

a. die CO_2-Emissionen reduzieren ....
b. eine bessere Zukunft haben ....
c. Gorillas schützen ....
d. der Natur nicht schaden ....
e. unseren Kindern einen sauberen Planeten hinterlassen ....
....

E. Geben Sie Umwelttipps! Verwenden Sie die folgenden Redemittel.

Es wäre gut, wenn wir ... / Ich rate dir ... / An deiner Stelle würde ich ... / Wir sollten ...

a. den Elektroschrott reduzieren ....
b. unsere alten Handys korrekt recyceln ....
c. mehr an die Tiere und die Natur denken ....
d. mehr über den Elektroschrott nachdenken..........
e. unsere alten Handys nicht einfach so wegwerfen ....

3. Wie smart ist dein Phone?

A. Sehen Sie sich das Plakat an. Um welche Initiative geht es? Stellen Sie fünf Hypothesen auf. Sie können die folgenden Redemittel verwenden.

Vielleicht ... | Wahrscheinlich ... | Bestimmt ... | Vermutlich ... | Möglicherweise ...
Es geht vielleicht um ... | Es kann sein, dass ... | Ich vermute, dass ... | Es ist möglich, dass ...

1. ....
2. ....
3. ....
4. ....
5. ....

Mobile - Box
Die Recycling-Box für dein Handy
Dein Handy für deine Umwelt
Recycle jetzt dein altes Handy und leiste damit deinen persönlichen Beitrag zum Umweltschutz
Umweltschutz
Mit jedem abgegebenen Handy werden Umweltprojekte des BUND NRW unterstützt.
Nachhaltigkeit
Enthaltene Rohstoffe werden innereuropäisch recycelt und dem Rohstoffkreislauf wieder zugefügt.
Datenschutz
Die Daten auf den abgegebenen Handys werden durch den Recycling-Prozess vollständig gelöscht.

B. Lesen Sie den Text und finden Sie jeweils die passende Umschreibung der markierten Ausdrücke.

Recyceln Sie Ihr Handy und leisten Sie Ihren Beitrag (1) zum Umweltschutz!

Unser Programm unterstützt den Umweltschutz und garantiert die Nachhaltigkeit (2). Ihre Daten (3) werden natürlich vorher von Ihrem Alt-Handy gelöscht.

Das Ziel von Mobile-Box ist die flächendeckende Rücknahme (4) von Alt-Handys. Hintergrund sind die mehr als 100 Millionen ungenutzten Handys in deutschen Schubladen. Eine Zahl, die stetig steigt, denn jedes Jahr werden alleine in Deutschland mehr als 30 Millionen neue Handys in Umlauf gebracht (5)!

Also: Geben Sie Ihr Handy ab (6) und unterstützen Sie das korrekte Recycling von Alt-Handys!

- ☐ **a.** persönliche Informationen
- ☐ **b.** sich von seinem Gerät verabschieden
- ☐ **c.** mithelfen, unterstützen
- ☐ **d.** auf den Markt bringen, verkaufen
- ☐ **e.** der Schutz von Rohstoffen und Ressourcen
- ☐ **f.** das Einsammeln

C. Beschreiben Sie den Lebenszyklus eines korrekt entsorgten Handys.

1. Zuerst ... produziert man das Handy.

2. Dann ....

3. Danach ....

4. Schließlich ....

5. Und am Ende ....

Deutschland - Land der Ideen

→ Livre p. 25

A. Zu welchem Bereich passen die Fotos? Ordnen Sie zu.

- ☐ **a.** Erneuerbare Energien
- ☐ **b.** Kunst
- ☐ **c.** Medien und Film
- ☐ **d.** Raumfahrttechnik
- ☐ **e.** Bildung und Wissen
- ☐ **f.** Labortechnik

B. Wer könnte Folgendes über seine Arbeit sagen? Markieren Sie die Schlüsselwörter und nennen Sie die Person. Film 2

1. In Deutschland sind Filme mit Weltklasseniveau gedreht worden. Ich persönlich finde, die Berlinale ist ein tolles Event. Person Nr.: ....
2. Ich arbeite mit erneuerbaren Energien. Sie spielen im 21. Jahrhundert eine wichtige Rolle. Person Nr.: ....
3. Der Umgang mit deutschen Studenten macht mir großen Spaß. Mein Wissen weiterzugeben macht mich schon ein bisschen stolz. Person Nr.:..................
4. In Deutschland habe ich die Möglichkeit, meine Ideen zu verwirklichen. Hier kann ich in einem tollen Team forschen. Person Nr.: ....
5. Ich bin Künstler und brauche Freiheit, um kreativ sein zu können. Und die hat man in Deutschland! Person Nr.: ....
6. Ich nehme als Ingenieur mit meinen Kollegen an internationalen Weltraumprojekten teil. Das wissen leider nicht viele. Person Nr.: ....

C. Was haben diese Leute gesagt? Unterstreichen Sie in den Sätzen aus Aufgabe B die Formen in der ersten Person und schreiben Sie sie dann in der dritten Person (er/sie) um.

1. *Sie findet, die Berlinale ist ein tolles Event.*
2. ....
3. ....
4. ....
5. ....
6. ....

2 Erfindergeist

I Innovatives Deutschland

→ Livre p. 26

1. Deutscher Erfinder- und Forschergeist

A. Wer hat was wann erfunden? Markieren Sie die Erfinder in Rot, das Erfindungsjahr in Blau, die Erfindung in Grün. Bilden Sie dann Sätze. Was fällt Ihnen beim Satzbau auf?

1. Manfred von Ardenne – 1930 – das Fernsehen
   Manfred von Ardenne hat 1930 das Fernsehen erfunden.
2. 1859–Philipp Reis – das Telefon ....
   ....
3. der Computer – Konrad Zuse – 1941 ....
   ....
4. Gottlieb Daimler – 1885 – das Motorrad ....
   ....
5. 1903 – Reinhold Burger – die Thermosflasche ....
   ....

B. Welcher Nutzen entspricht welcher Erfindung? Bilden Sie jeweils fünf Infinitivsätze und fünf Sätze mit **wenn**.

Der Scanner ermöglicht es, Dokumente digital zu speichern.
Der Scanner ist nützlich, wenn man Dokumente digital speichern will.

....
....
....
....
....
....
....
....

C. Vergleichen Sie früher und heute: Bilden Sie Sätze.

ERFINDUNG	FRÜHER	HEUTE
die Thermosflasche	im Lexikon suchen	im Internet surfen
der Computer	eine Kerze anzünden	bei Nacht sehen
der Scanner	nur persönlich kommunizieren	Freunde und Bekannte anrufen
der Airbag	zu Fuß gehen oder Rad fahren	schneller reisen
die Kleinbildkamera	kalten Tee trinken	die Getränke warm halten
das Telefon	die Erinnerungen im Kopf behalten	schöne Momente fotografisch festhalten
das Motorrad	nicht so gute Kenntnisse haben	die chemischen Elemente erkennen
das Periodensystem	jeden Preis eintippen	im Supermarkt Preise einscannen
das Fernsehen	nicht informiert sein	Nachrichten aus aller Welt und Musik hören
die Glühbirne	schwere Verletzungen riskieren	sicher Auto fahren

Früher musste man im Lexikon suchen. Heute kann man mit dem Computer ...

2. Einstein – von der Theorie zur Praxis

A. Markieren Sie im Text die in der Tabelle auf S. 16 genannten Informationen und ergänzen Sie diese anschließend.

Der Einfluss des großen Physikers auf das Leben von heute

Einsteins Theorien waren abstrakt: Seine Arbeiten zur Relativitätstheorie waren zunächst rein spekulativ und philosophisch. Trotzdem wären ohne Einstein viele praktische Erfindungen unserer Zeit unmöglich geblieben: ob CD-Player, Fernseher, Atomstrom oder Solarenergie. Wie würde die Welt ohne Einsteins Formeln und Werke aussehen?

Die Welt ohne Atombombe und Atomstrom

1905 schreibt Einstein eine Arbeit über die Brown'sche Bewegung. Er legt damit die theoretische Basis für die gesamte Atomphysik.

Die Welt ohne GPS

Das GPS (Global Positioning System) nutzt Einsteins Spezielle Relativitätstheorie. Ein GPS-System, das die Effekte der Relativitätstheorie nicht berücksichtigt, würde pro Tag eine Fehlangabe von 11 Kilometern anzeigen.

Die Welt ohne Solarenergie

Ebenfalls 1905 schreibt Einstein einen Artikel, in dem er den photoelektrischen Effekt erklärt. Diese Arbeit bringt ihm im November 1921 den Nobelpreis und bildet die Grundlage für die Entwicklung aller Geräte, in denen Licht in Elektrizität umgesetzt wird – von der Digitalkamera bis zur Solaranlage. Ohne Einsteins Arbeit wäre Strom durch Sonnenlicht heute undenkbar.

Die Welt ohne Laser

In jedem CD-Player und in jeder Scannerkasse ist er eingebaut, aus medizinischen Geräten ist er nicht mehr wegzudenken: der Laserstrahl. Ein Laserstrahl arbeitet nach Prinzipien, die Einstein 1924 erkannte.

Nach: www.einsteinjahr.de

durch Einsteins Entdeckungen ermöglichte Technologie	konkrete Anwendung im Alltag
....	....
....	....
....	....
....	....
....	....
....	....
....	....
....	....

B. Wie beurteilen Sie die im Text genannten Theorien oder Erfindungen? Begründen Sie.

Ich finde die Solarenergie am ...., denn sie hat .... ermöglicht.
.., weil sie .... ermöglicht hat.
....
....
....
....

C. Lesen Sie den Text noch einmal. Kreuzen Sie jeweils die richtige Antwort an und unterstreichen Sie das passende Zitat im Text.

Was habe ich verstanden?

1. Albert Einsteins Theorien ...
- ☐ **a.** haben keinen Einfluss auf moderne Erfindungen.
- ☐ **b.** sind die theoretische Grundlage vieler Innovationen der heutigen Zeit.
- ☐ **c.** wurden nur von ihm selbst für seine eigenen Erfindungen genutzt.

2. Einsteins Arbeiten ...
- ☐ **a.** haben die Atomenergie und die Atombombe möglich gemacht.
- ☐ **b.** sollten die Atomenergie und die Atombombe verhindern.
- ☐ **c.** haben ihm auf dem Gebiet der Atomphysik den Nobelpreis gebracht.

3. Die Kenntnisse der Speziellen Relativitätstheorie ...
- ☐ **a.** haben kaum Einfluss auf Navigationssysteme.
- ☐ **b.** haben es Einstein ermöglicht, das GPS zu erfinden.
- ☐ **c.** werden heutzutage in jedem GPS genutzt.

4. Einsteins Arbeiten zum photoelektrischen Effekt haben ...
- ☐ **a.** die Nutzung von Atomenergie ermöglicht.
- ☐ **b.** dem Physiker viel Geld eingebracht.
- ☐ **c.** die Erfindung der Digitalkamera möglich gemacht.

5. Einsteins Entdeckung der Laser-Technologie ...
- ☐ **a.** ist heutzutage nicht mehr relevant und veraltet.
- ☐ **b.** ist in der Medizin und im Alltag von großer Bedeutung.
- ☐ **c.** spielt im täglichen Leben keine wichtige Rolle.

3. Albert Einstein – ein Mythos?

A. Sehen Sie sich das Video noch einmal an und markieren Sie die richtige(n) Antwort(en). Film 3

Was habe ich verstanden?

Fakt 10
- ☐ **a.** Einstein hat für die Nazis gearbeitet.
- ☐ **b.** Einstein war Jude.
- ☐ **c.** Einstein musste Deutschland verlassen und ist in die Schweiz gegangen.

Fakt 9
- ☐ **a.** Einstein war ein schlechter Schüler.
- ☐ **b.** Einstein war ein guter Schüler.
- ☐ **c.** Erst an der Universität hat er sich für Physik interessiert.

Fakt 8
- ☐ **a.** Lieserl ist Einsteins erstes Kind, das er nicht mit seiner Ehefrau Mileva hatte.
- ☐ **b.** Lieserl ist Einsteins kleine Schwester.
- ☐ **c.** Lieserl ist die Tochter seiner Schwester.

Fakt 7
- ☐ **a.** Einstein war gegen Krieg und Waffen.
- ☐ **b.** Er hat Churchill über die nukleare Gefahr informiert.
- ☐ **c.** Seine Relativitätstheorie war für die Erfindung der Atombombe unbedeutend.

Fakt 6
- ☐ **a.** Einstein engagierte sich politisch gegen Rassismus.
- ☐ **b.** Einstein interessierte sich nicht für Rassismus.
- ☐ **c.** Für ihn war Rassismus eine „Krankheit des modernen Mannes".

Fakt 5
- ☐ **a.** Einsteins Gehirn wurde schon vor seinem Tod erforscht.
- ☐ **b.** Es soll größer als andere gewesen sein.
- ☐ **c.** Es soll nicht so groß wie andere gewesen sein.

Fakt 4
- ☐ **a.** Einstein wollte als Kind nie allein sein.
- ☐ **b.** Er hatte sehr viele soziale Kontakte.
- ☐ **c.** Wissenschaftler meinen, dass er ein Autist war.

Fakt 3
- ☐ **a.** Einstein und seine erste Frau Mileva lebten sehr harmonisch.
- ☐ **b.** Elsa, Einsteins zweite Frau, war auch seine Cousine.
- ☐ **c.** Er war ein liebevoller Ehemann.

Fakt 2
- ☐ **a.** Einstein wurde vom FBI überwacht.
- ☐ **b.** Er hat für das FBI als Spion gearbeitet.
- ☐ **c.** Einstein hat einen sehr langen Spionage-Report geschrieben.

Fakt 1
- ☐ **a.** Einstein wurde 1952 Präsident von Israel.
- ☐ **b.** Einstein wurde vom israelischen Präsidenten eingeladen.
- ☐ **c.** Einstein sollte Präsident werden, er fühlte sich jedoch nicht kompetent genug.

B. Hören Sie sich die Umfrage an und ergänzen Sie die Kurzbiografie. CD p. 4 / MP3 p. 2

Geburtsort	
Herkunft	
Beruf	
bekannteste Entdeckung	
Religion	
Exilland	

2 Erfindergeist

C. Held oder Mythos? Markieren Sie die „heldenhaften“ Elemente in Rot, die „mythischen“ in Grün.

genial | schlecht in der Schule | unkonventionell | charismatisch | außergewöhnlich
sich gegen Rassismus engagieren | ein Pazifist | weltbekannt | besonders intelligent
mutig | immer seine Meinung sagen | das Foto mit der Zunge | provokant

D. Hören Sie die Umfrage noch einmal und kreuzen Sie jeweils die richtige Antwort an. CD p. 4 / MP3 p. 2

Was habe ich verstanden?

1. Wo befindet sich die Journalistin?
- ☐ **a.** In München.
- ☐ **b.** In Ulm.
- ☐ **c.** In Berlin.

2. Was hat der Physiker hier gemacht?
- ☐ **a.** Hier ist Albert Einstein zur Welt gekommen.
- ☐ **b.** Hier hat Albert Einstein gearbeitet.
- ☐ **c.** Hier ist Albert Einstein gestorben.

3. Was weiß die Frau über Einstein?
- ☐ **a.** Er musste Deutschland verlassen.
- ☐ **b.** Sie weiß nichts über Einsteins Leben.
- ☐ **c.** Er war ein guter Schüler.

4. Was erklärt das Mädchen?
- ☐ **a.** Einstein war schon als Kind ein Genie.
- ☐ **b.** Seine Theorien sind allgemein verständlich.
- ☐ **c.** Er war ein ganz normaler Mensch.

5. Was denkt der ältere Herr über Einstein?
- ☐ **a.** Er ist heute noch immer ein Mythos.
- ☐ **b.** Er ist wegen seines Engagements ein Held.
- ☐ **c.** Einsteins Genie ist pure Fiktion.

6. Wie reagiert der Student?
- ☐ **a.** Er ist völlig mit dem älteren Herrn einverstanden.
- ☐ **b.** Für ihn ist Einstein ein absoluter Mythos.
- ☐ **c.** Er kritisiert das Foto mit der Zunge.

E. Prozentsätze angeben: Verbinden Sie die Satzteile.

1. 49 Prozent...	**a.** ... sind mehr als zwei Drittel.
2. Ein Viertel ...	**b.** ... ist fast die Hälfte.
3. 70 Prozent ...	**c.** ... sind eine Minderheit.
4. Die Mehrheit ...	**d.** ... ist bei 51 Prozent erreicht.
5. Knapp 10 Prozent ...	**e.** ... ist die Hälfte der Hälfte.

F. Geben Sie die Ergebnisse der Klassenumfrage anhand der Ausdrücke aus Aufgabe E und dieser Redemittel wieder.

- (völlig) einverstanden sein
- (völlig) einer Meinung sein
- geteilter Meinung sein
- (gar) nicht einverstanden sein

....
....
....
....
....
....
....
....

II Wie viel Fortschritt braucht der Mensch?

→ Livre p. 29

1. Irren ist menschlich ...

A. Ordnen Sie jedem Zitat die passende Innovation zu.

der Fernseher | das Telefon | das Automobil | der PC | die Audio-CD | das Motorflugzeug | die Computerspeicherkapazität | die Atomenergie

Auch Spezialisten können irren!

A. „Es gibt keinen Grund dafür, dass jemand einen Computer zu Hause haben möchte."
Ken Olson, Präsident von Digital Equipment Corp., 1977

B. „640 KB sollten genug für jedermann sein."
Bill Gates, Microsoft Corporation, 1981

C. „Wer braucht eigentlich diese Silberscheibe?"
Jan Timmer über die CD, Philips-Vorstand, 1982

D. „Der Mensch wird es in den nächsten 50 Jahren nicht schaffen, sich mit einem Metallmotor in die Luft zu erheben."
Wilbur Wright, Pionier der Luftfahrt, 1901

E. „Es gibt nicht das geringste Anzeichen, dass wir jemals Atomenergie entwickeln können."
Albert Einstein, Entdecker der Relativitätstheorie, 1932

F. „Die Erfindung hat so viele Mängel, dass es nicht ernsthaft als Kommunikationsmittel taugt. Das Ding hat für uns an sich keinen Wert."
Memo der Western Union Financial Services zur Erfindung des Telefons, 1876

G. „Die weltweite Nachfrage nach Kraftfahrzeugen wird eine Million nicht überschreiten – allein schon aus Mangel an verfügbaren Chauffeuren."
Gottlieb Daimler, Gründer von Daimler-Benz, 1901

H. „Der Fernseher wird sich auf dem Markt nicht durchsetzen. Die Menschen werden sehr bald müde sein, jeden Abend auf eine Sperrholzkiste zu starren."
Darryl Fl. Zanuck, Chef der Filmgesellschaft 20th Century Fox, 1946

B. Wählen Sie drei Zitate aus und widersprechen Sie. Verwenden Sie dabei die folgenden Adverbien.

natürlich | selbstverständlich | zweifellos | sicherlich

Natürlich gibt es viele Gründe dafür, dass die Leute einen Computer zu Hause haben möchten!

....

....

....

....

....

....

....

2 Erfindergeist

2. Der Erfinderladen

A. Erfinden Sie mithilfe der Begriffe neue Produktnamen. Bilden Sie so viele Wortkombinationen wie möglich.

Solar	Pizza	Hygiene	MP3	Radiergummi	Gute-Laune	Musik	2in1
Design	Servier	die Schere	der Öffner	die Box	Handtasche	Tür	
Nacht	Finger	das Licht	die Mütze	das Ladegerät	Schreibgeräte		
Handy	Such-und-Find	Schreibtisch	Reise	Kopfhörer	Stifte	Schlüssel	

....

....

....

....

....

....

B. Wer bin ich? Notieren Sie hinter jeder Beschreibung die passende Erfindung (siehe Lehrbuch S. 30).

1. Damit kann man gleichzeitig schneiden und servieren. So spart man Zeit!	
2. Diese Erfindung schützt dich vor kalten Ohren und macht gute Laune.	
3. Das Produkt ist sehr praktisch für die Schule und sieht einfach toll aus. Damit kannst du deine Stifte überall hin mitnehmen.	
4. Dieses Gerät geht automatisch an, wenn sich eine Hand nähert. Handy- oder Schlüsselsuche wird zum Kinderspiel!	
5. Dieses Produkt schützt dich vor dem Kontakt mit Viren und Bakterien. Es ist so klein, dass es in jede Hosentasche passt.	
6. Wenn du im Winter Musik hören willst, ist das mit dieser Erfindung kein Problem mehr.	
7. Dieses Gerät hilft dir, deine Sachen auch im Dunkeln wiederzufinden.	
8. Das ist eine Kombination aus Ohrenschützern und Kopfhörern, die dir ermöglicht, Wärme und tollen Sound in einem Produkt zu verbinden.	
9. Dieses Produkt hilft nicht nur, deine Schreibutensilien aufzubewahren, sondern radiert auch!	
10. Das ist eine ökologische und praktische Erfindung, speziell für junge Leute, die gern unterwegs sind.	
11. Damit sind dein Handy und dein MP3 immer geladen und funktionstüchtig.	
12. Dieses Produkt ermöglicht dir, immer gleich große Stücke zu schneiden. So kommt niemand zu kurz.	
13. Diese Erfindung ermöglicht es, auf hygienische Art und Weise Türen zu öffnen. So bleiben die Hände sauber.	

3. Patenteuropameister

A. Ergänzen Sie den Lückentext mit den angegebenen Wörtern.

Erfindungen: Deutschland ist Patent-Europameister

Knapp 32.000 Patentanmeldungen kamen 2014 aus Deutschland – so viele wie aus keinem anderen europäischen Land.

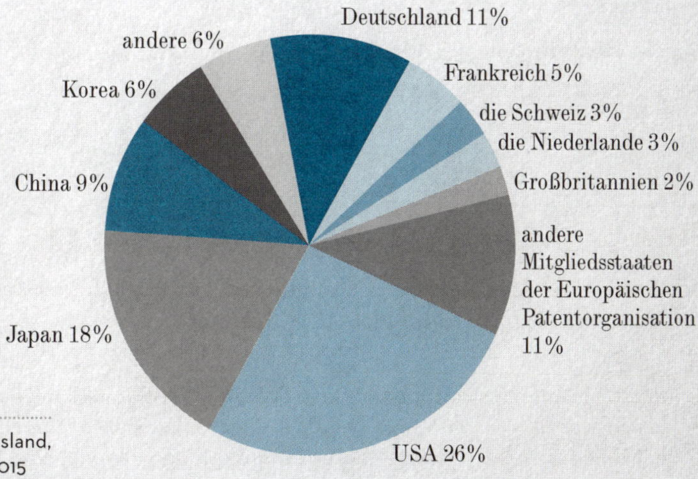

Patentanmeldungen nach Herkunftsland,
Quelle: Europäisches Patentamt, 2015

auf Weltklasseniveau | ganz vorn in Europa | ein innovatives Volk | die meisten europäischen Erfindungen | an zweiter Stelle

Deutschland ist Patenteuropameister. Das bedeutet, dass .... (1) aus Deutschland kommen. Die deutschen Erfinder sind also .... (2). Frankreich steht mit 5% .... (3) und ist auch .... (4). Die europäischen Erfinder arbeiten .... (5), denn insgesamt 35% aller Erfindungen weltweit waren europäischer Herkunft.

B. Ergänzen Sie die Tabelle. Die folgende Anleitung hilft Ihnen beim Rechnen.

Im Jahr 2014 sind beim Europäischen Patentamt 274.000 Patente angemeldet worden. Diese Anmeldungen kamen sowohl aus europäischen als auch aus nicht-europäischen Ländern, wie aus Japan oder den USA. 11 % davon kamen aus Deutschland.

Sie rechnen also: 274.000 x 11 % = 30.140

Aus Deutschland kamen demzufolge etwa 30.100 Patentanmeldungen.

Deutschland hat etwa 80 Millionen Einwohner. Sie rechnen also:

30.100 : 80 = circa 376 Patentanmeldungen pro Million Einwohner.

2 Erfindergeist

Patentland	Patent-anmeldungen in Prozent	Anzahl der Patent-anmeldungen	Einwohner (ungefähre Angaben)	Patent-anmeldungen pro Million Einwohner
Deutschland	11%	etwa 30.100	80 Mio	376
Frankreich			65 Mio	
die Schweiz			8 Mio	
die Niederlande			17 Mio	
Großbritannien			64 Mio	
die Vereinigten Staaten (USA)			320 Mio	
Japan			127 Mio	
China			1.330 Mio	
Korea			50 Mio	

C. Sehen Sie sich die Tabelle noch einmal genau an. Sind folgende Aussagen richtig (**R**) oder falsch (**F**)? Notieren Sie.

Was habe ich verstanden?

1.

- ☐ **a.** 2014 kamen insgesamt 35 % der Patentanmeldungen aus europäischen Ländern.
- ☐ **b.** Aus den USA kamen weniger als ein Viertel der Patentanmeldungen.
- ☐ **c.** Mehr als zwei Drittel der Patentanmeldungen kamen 2014 aus nicht-europäischen Ländern.

2.

- ☐ **a.** Deutschland steht weltweit an erster Stelle.
- ☐ **b.** Deutschland steht weltweit an dritter Stelle, nach den USA und Japan.
- ☐ **c.** Deutschland steht weltweit auf Platz 2, zwischen den USA und Japan.

3.

- ☐ **a.** Bezogen auf die Einwohnerzahl ist die Schweiz Patentweltmeister.
- ☐ **b.** Bezogen auf die Einwohnerzahl haben die deutschen Erfinder mehr Patente angemeldet als die niederländischen.
- ☐ **c.** Bezogen auf die Einwohnerzahl steht Deutschland weltweit an zweiter Stelle.

D. Verbinden Sie die Sätze mit **trotzdem**.

1. Aus Deutschland kamen 2014 die meisten europäischen Patentanmeldungen. Auf die Einwohnerzahl bezogen steht dieses Land in Europa nicht an erster Stelle.
2. Nur 3% der Patentanmeldungen kamen 2014 aus der Schweiz. Das kleine Land steht europaweit an erster Stelle.
3. China ist ein innovatives Land. Es steht weltweit nur an neunter Stelle.
4. Nur etwa ein Drittel der Erfindungen kommt aus Europa. Dieser Kontinent liegt weltweit ganz vorn.
5. Prozentmäßig stehen die Vereinigten Staaten weltweit an erster Stelle. Sie kommen bezogen auf die Einwohnerzahl nur auf Platz 6.

I Meine deutsche Heimat

→ Livre p. 41

1. Eine Mauer durch Berlin

A. Wortpuzzle: Verbinden Sie die Ausdrücke so, dass Sie die Geschichte der Mauer rekonstruieren können. Ordnen Sie dann die Ereignisse dem passenden Datum zu.

Ende	wiedervereinigt
die Bundesrepublik Deutschland	Berliner Mauer
die Gründung	der DDR
die Grenze zwischen BRD und DDR	des Zweiten Weltkriegs
Bau der	der Grenze
die Öffnung	wird geschlossen
Deutschland wird	wird gegründet

8.5.1945 ....
24.5.1949 ....
7.10.1949 ....
13.8.1961 ....
....
9.11.1989 ....
3.10.1990 ....

B. Welche Ideen passen Ihrer Meinung nach zum Ausdruck „Mauer in den Köpfen"? Kreuzen Sie an. Finden Sie dann Gegensatzpaare und bilden Sie Sätze mit **anstatt ... zu**.

Ost- und Westdeutsche

- ☐ sich ignorieren
- ☐ sich fremd sein
- ☐ sich gut kennen
- ☐ sich oft besuchen wollen
- ☐ sich nicht kennen lernen wollen
- ☐ sich füreinander interessieren
- ☐ Vorurteile haben
- ☐ offen sein

Anstatt sich gut zu kennen, sind sich Ost- und Westdeutsche fremd.

....
....
....
....
....
....

3 Denk' ich an Deutschland

C. Markieren Sie auf der Karte die innerdeutsche Grenze in Rot und die Grenze zwischen Ost- und Westblock in Blau. Hören Sie, was Thomas erzählt und skizzieren Sie in Grün seinen Fluchtweg. CD p. 7 / MP3 p. 3

D. Hören Sie noch einmal an, was Thomas berichtet und kreuzen Sie die richtige Antwort an. CD p. 7 / MP3 p. 3

Was habe ich verstanden?

1. Thomas ...
- ☐ **a.** hat die DDR verlassen.
- ☐ **b.** ist in der DDR geblieben.
- ☐ **c.** ist in die Schweiz geflohen.

2. In der DDR hatte er ...
- ☐ **a.** begrenzte berufliche Perspektiven.
- ☐ **b.** schon eine eigene Wohnung und ein Auto.
- ☐ **c.** keine Arbeit.

3. Außerdem wollte er ...
- ☐ **a.** reisen und sagen dürfen, was er denkt.
- ☐ **b.** Taxifahrer werden.
- ☐ **c.** sich politisch engagieren.

4. Nach seiner Flucht vermisste er besonders ...
- ☐ **a.** seine gewohnte Sprache.
- ☐ **b.** seine Freunde und seine Familie.
- ☐ **c.** die netten Ostdeutschen.

5. In der Bundesrepublik ...
- ☐ **a.** hat er viele negative Erfahrungen gemacht.
- ☐ **b.** wurde er nicht mit Vorurteilen konfrontiert.
- ☐ **c.** hat er sich bis heute nicht integriert.

2. Mauer in den Köpfen?

A. Ordnen Sie jedem Fragewort eine passende Antwort zu.

Woher?	Seit 1989 lebt er nicht mehr in seiner Heimat.
Wo?	Heute lebt er in Süddeutschland.
Seit wann?	Die meisten Westdeutschen waren sehr nett zu ihm.
Wie?	In einem anderen Land hätte er Probleme mit der Sprache haben können.
Wer?	Seine Familie fehlt ihm.
Womit?	Thomas stammt aus Ostdeutschland.

B. Formulieren Sie nun die kompletten Fragen.

1. ....
2. ....
3. ....
4. ....
5. ....
6. ....

3 Denk' ich an Deutschland

C. Lesen Sie den Text und unterstreichen Sie einige wichtige Informationen. Formulieren Sie dann dazu Fragen für Ihren Partner / Ihre Partnerin.

Wessi? Ossi? Wossi!

Seit 1989 ist Deutschland wieder ein „einig Vaterland". Schekker-Autorin Louisa hat ihre ersten Lebensjahre in Westdeutschland verbracht, seither lebt sie in Sachsen-Anhalt – und sie ist froh, beide Seiten zu kennen.

Meine Familie stammt aus Westdeutschland, ich habe die ersten Jahre meines Lebens in der Nähe von Kassel verbracht. Seit 13 Jahren lebe ich nun aber in Sachsen-Anhalt. Und ich bin sehr froh darüber, in Ostdeutschland zu leben. Als Westdeutscher in Ostdeutschland? So selbstverständlich, wie man das nach mehr als 22 Jahren wiedervereinigtem Deutschland meinen könnte, ist das aber nicht.

Die meisten Bekannten im Westen reagieren positiv, wenn ich über meinen Wohnort erzähle. [...] Aber sogar unter Jüngeren sind noch viele Vorurteile verbreitet: Bei einer Umfrage der „Hochschulinitiative Neue Bundesländer" verbanden junge Westdeutsche ostdeutsche Städte oft mit den Begriffen: grau, hässlich, langweilig, arbeitslos. Ein Studium im Ausland käme für sie eher in Frage als eins ins Ostdeutschland. Umgekehrt gilt das aber auch für junge Ostdeutsche, die ein Studium im Ausland dem an einer westdeutschen Hochschule vorziehen würden. Mit Westdeutschen verbinden viele Ostdeutsche – wie auch schon vor zwei Jahrzehnten – Arroganz und Egozentrik. Auch wenn diese Ost-West-Vorurteile noch bestehen, ändert sich nun langsam etwas. Gefördert durch Kampagnen wie „Studieren in Fernost" entscheiden sich mehr Studenten aus dem Westen für ein Studium im Osten. Leipzig gilt mittlerweile bei vielen jungen Leuten als das „bessere Berlin".

[...] Ich kenne beide Teile Deutschlands gut, habe Freunde und Bekannte aus beiden Teilen Deutschlands und deshalb vermutlich auch weniger Vorurteile gegenüber „Ossis" oder „Wessis". Ich bin einfach stolz, ein „Wossi" zu sein!

Aus: www.schekker.de, Jugendmagazin der Bundesregierung, Ausgabe 112, Beitrag von Louisa Zimmer, Januar 2013

D. Lesen Sie den Text noch einmal und unterstreichen Sie jeweils die richtige Aussage.

Was habe ich verstanden?

a. Louisa stammt **aus Westdeutschland | aus Ostdeutschland**.
b. Seit 13 Jahren lebt sie jedoch **in Westdeutschland | in Ostdeutschland**.
c. Sie findet es **schwierig | toll | negativ**, beide Teile Deutschlands zu kennen.
d. Ihre Freunde im Westen finden ihre neue Heimat **interessant | uninteressant | unwichtig**.
e. Heutzutage gibt es **keine | immer noch | fast keine** Ost-West-Vorurteile.
f. Viele junge Deutsche würden lieber **im Ausland | im anderen Teil Deutschlands** studieren als **im Ausland | im anderen Teil Deutschlands**.
g. Die Kampagne „Studieren in Fernost" soll Studenten motivieren, **in Ostdeutschland | in Asien | im fernen Ausland** zu studieren.
h. Immer mehr ostdeutsche Städte werden für westdeutsche Studenten **attraktiv | zu teuer | uninteressant**.
i. Louisa bezeichnet sich selber als **Ossi | Wessi | Wossi**.

3. Die Zeiten ändern sich ...

A. Die jüngere oder die ältere Generation? Wer denkt wohl wie über die Wiedervereinigung? Stellen Sie Vermutungen an.

viele Perspektiven haben | viele Studienmöglichkeiten haben | die deutsche Einheit teuer finden | Angst um den Arbeitsplatz haben | ein schönes großes Land haben | unzufrieden sein

junge Deutsche	ältere Deutsche

C. Formulieren Sie nun Sätze unter Verwendung der folgenden Ausdrücke.

möglicherweise | vielleicht | sicher(lich) | es kann sein, dass ... | es ist auch denkbar, dass ...

....
....
....
....
....
....
....

D. In welcher Reihenfolge werden diese Themen in der Umfrage genannt? Nummerieren Sie. **Film 4**

- ☐ ein gemeinsames Volk
- ☐ die finanzielle Herausforderung
- ☐ eine kulturelle Bereicherung
- ☐ die Meinungsfreiheit
- ☐ ein größeres Land
- ☐ neue Freunde und Partner
- ☐ ein gerechteres Land
- ☐ die Reisefreiheit

E. Sehen Sie das Video noch einmal und kreuzen Sie die richtige Antwort an. **Film 4**

Was habe ich verstanden?

1. In dieser Umfrage geht es um ...
- ☐ **a.** die Arbeitslosigkeit in Deutschland
- ☐ **b.** die Vor-und Nachteile der deutschen Einheit
- ☐ **c.** die deutsche Familienpolitik

2. Die meisten Befragten haben zu diesem Thema ...
- ☐ **a.** eine eher positive Meinung
- ☐ **b.** eine eher negative Ansicht
- ☐ **c.** gar keine Meinung

3. Wer findet, dass die Einheit viel Geld gekostet hat?
- ☐ **a.** Eine Frau.
- ☐ **b.** Ein älterer Herr.
- ☐ **c.** Ein Student.

II Aus und vorbei?

→ Livre p. 45

1. Fragen zur deutschen Identität

A. Sehen Sie sich das Video ein erstes Mal an. In welcher Reihenfolge werden die Themen angesprochen? **Film 5**

- ☐ **a. Definition der deutschen Identität**
- ☐ **d. Herkunft / Abstammung**
- ☐ **b. Nationalstolz / Patriotismus**
- ☐ **c. Nationalsozialistische Vergangenheit**

B. Ordnen Sie die folgenden Aussagen den Themen aus Aufgabe 1A zu.

- ☐ **1.** Ich bin 100% deutschstämmig.
- ☐ **2.** Ein/e Deutsche/r ist pünktlich, spießig und langweilig.
- ☐ **3.** Ich bin stolz darauf, Deutsche/r zu sein.
- ☐ **4.** Ich bin nicht patriotisch, nur bei Sportereignissen.
- ☐ **5.** In Deutschland leben wir den Nationalstolz nicht so aus wegen der NS-Vergangenheit.
- ☐ **6.** Ich bin halber Italiener.
- ☐ **7.** Ich bin als Deutsche/r ordentlich.
- ☐ **8.** Ich fühle mich deutsch und kroatisch.
- ☐ **9.** Ich bin stolz, Deutsche/r zu sein, wenn ich die letzten 20-30 Jahre anschaue.
- ☐ **10.** Viele Länder haben noch Vorurteile gegenüber Deutschland wegen des Nationalsozialismus.
- ☐ **11.** Ich komme aus Kroatien.
- ☐ **12.** Das deutsche Essen ist lecker.
- ☐ **13.** Die deutsche Staatsbürgerschaft macht jemanden deutsch.
- ☐ **14.** Ich fühle mich mehr Europäer/in als Deutsche/r.

C. Sehen Sie sich das Video noch einmal an. Sind die folgenden Aussagen richtig (**R**) oder falsch (**F**)? Markieren Sie. **Film 5**

Was habe ich verstanden?

- ☐ **1.** Einige der Befragten stammen aus einem anderen Land.
- ☐ **2.** Alle Befragten finden, dass „ordentlich sein" eine typisch deutsche Tugend ist.
- ☐ **3.** Die Deutschen kennen aufgrund ihrer Vergangenheit keinen Nationalstolz.
- ☐ **4.** Alle Befragten fühlen sich zu 100 Prozent deutsch.

D. Lesen Sie den Text und unterstreichen Sie die Informationen, die sie für die Beantwortung der folgenden Fragen brauchen.

a. Wie viele Menschen stimmen der Aussage „Ich liebe Deutschland" zu?
b. Welches Ereignis charakterisiert am besten die Deutschen?
c. Wie viel Prozent der Befragten halten den Zweiten Weltkrieg für das Selbstbild prägend?
d. Für wie viel Prozent der Befragten ist der Holocaust prägend für das Selbstbild ?

Aus der Untersuchung geht hervor, dass eine deutliche Mehrheit (85 Prozent) der Bevölkerung, der Aussage „ich liebe Deutschland" zustimmen. Angefangen hat dieser positive Trend seit der Wiedervereinigung. Sie stellt für jeden zweiten (49 Prozent) Befragten das historische Ereignis dar, das Deutschland heute am besten beschreibt.

Ereignisse im Zusammenhang mit dem Zweiten Weltkrieg sind hingegen kaum mehr prägend für das Selbstbild (16 Prozent), und der Holocaust wird in der Studie nur von 0,5 Prozent der Befragten genannt.

Aus: www.rbb-online.de, Beitrag vom 3.12.2014

2. Unser Land – unsere Geschichte

A. Hören Sie, worüber sich Jugendliche bei dem Besuch einer Gedenkstätte unterhalten. Ordnen Sie jedem Gespräch eine Aussage zu. **CD p. 8**

a. Es wird sicher wieder einen Weltkrieg geben. Auf die Politiker kann man sich nicht verlassen, die Menschen sind ihnen egal.
Gespräch Nr.: 5

b. So etwas wie der Zweite Weltkrieg wird nie wieder geschehen, die Menschen haben aus der Geschichte gelernt.
Gespräch Nr.: 1

c. Wenn man Deutscher ist und etwas Kritisches zu einem Ausländer sagt, ist man gleich ein Nazi. Die Deutschen dürfen ihre Vergangenheit nicht vergessen.
Gespräch Nr.: 4

d. Gewalt kann zur Gewohnheit werden. Wenn man sich einmal an Mord und Brutalität gewöhnt, geht das immer so weiter.
Gespräch Nr.: 3

e. Was damals passiert ist, wäre mir nie passiert. Ich bin kein Jude und kein Homosexueller, ich hätte keine Probleme gehabt. Mich betrifft das nicht.
Gespräch Nr.: 2

B. Hören Sie die Gespräche noch einmal an und markieren Sie jede Aussage mit richtig (**R**) oder falsch (**F**). **CD p. 8**

Was habe ich verstanden?

Gespräch Nummer 1

[F] **a.** Den Deutschen ist ihre Nazi-Vergangenheit egal.
[R] **b.** So etwas wie das Dritte Reich wird es nie wieder geben, weil wir heute besser informiert sind.

Gespräch Nummer 2

[R] **a.** Der Junge meint, im Dritten Reich wurden nur die Juden verfolgt.
[F] **b.** Die Lehrerin sagt, dass außer Juden nur noch Homosexuelle verfolgt wurden.

Gespräch Nummer 3

[ ] **a.** Boris meint, dass in den USA alles möglich ist, auch viel Negatives.
[ ] **b.** Er meint auch, dass Töten zur Gewohnheit werden kann.

Gespräch Nummer 4

[ ] **a.** Der Schüler beschwert sich, weil er in der Schule Probleme mit Mitschülern aus anderen Ländern hat.
[ ] **b.** Er findet, dass man als Deutscher problemlos seine Meinung sagen kann.

Gespräch Nummer 5

[ ] **a.** Der junge Mann findet, dass die Politik eine Garantie für Frieden und Freiheit ist.
[ ] **b.** Er glaubt, dass der nächste Weltkrieg ein unorganisiertes Chaos sein wird.

3. Schüler wie wir

A. Finden Sie jeweils die passende Antwort im Text.

Berliner Jugendliche erforschen Schicksal jüdischer Schüler

A Warum gibt es an unserer Schule vor der Aula eine Gedenktafel[1] für die Gefallenen des Ersten Weltkrieges und im Hof ein Denkmal für die Gefallenen des Zweiten Weltkrieges, aber keines für die Opfer des Nationalsozialismus? Wie könnten wir an diese erinnern? Und an wen eigentlich? Mit diesen Fragen begannen 15 Schüler der Schiller-Oberschule in [Berlin-]Charlottenburg im März dieses Jahres die Geschichte der ehemaligen jüdischen Schüler zu recherchieren. Seit mehreren Jahren schon besuchen die jeweils zehnten Klassen das Haus der Wannseekonferenz, um sich über die NS-Verbrechen zu informieren. Regelmäßig finden Schülerreisen nach Israel statt. [...] Zentraler Teil des Projektes an der Schiller-Oberschule war auch eine Studienreise zu ehemaligen Konzentrations- und Vernichtungslagern in Polen, um an die Ermordeten zu erinnern. Im laufenden Schuljahr soll nun auf dem Schulhof ein Denkmal für die verfolgten Schüler entstehen. [...]

a. Wie wird in der Schillerschule bisher an die Vergangenheit erinnert? An welche Opfer wird erinnert? An welche nicht?
b. Worin besteht das Projekt der Schüler?

B Wie auch an anderen Berliner Schulen wurden im November 1938 am Schiller-Gymnasium die letzten jüdischen Schüler auf Anordnung[2] des Berliner Oberbürgermeisters ausgeschult[3]. An der Schiller-Schule waren es noch acht. Auf rund 220 Jungennamen kam die AG „Erinnern an ehemalige Schüler des Schiller-Realgymnasiums". Diese mussten [...] als Juden die Schule wechseln oder flüchteten in das Ausland. Von zehn ehemaligen Schülern ist bekannt, dass sie in Konzentrations- und Vernichtungslagern ermordet[4] wurden. Konnten die Schüler emigrieren, wurden häufig die in Deutschland gebliebenen Eltern und Familienmitglieder ermordet. [...]

c. Was passierte im November 1938?
d. Jüdische Schüler der Schiller-Oberschule haben verschiedene Schicksale erlebt. Welche werden hier erwähnt?

C An der Walther-Rathenau-Schule, die früher Grunewald-Gymnasium hieß, haben die ehemalige Schulleiterin Ute Kniepen und die ehemalige Lehrerin Marga Quiring mit Helfern im Laufe von zehn Jahren 200 Abmelde-Briefe[5] jüdischer Eltern aus dem Jahr 1933 in Buchform zugänglich[6] gemacht. Ein Drittel der Schüler des Grunewald-Gymnasiums war damals jüdischen Glaubens. Die Briefe erzählen von erzwungenen[7] Schulwechseln und Wegen in die Emigration, das weitere Schicksal der Schüler ist oft unbekannt. Auch die „Schwarzen Listen" der Schulleitung, in der Schüler in „Volljuden", „Halbjuden", „Frontkämpfer" und „Ausländer" eingeteilt wurden, sind dokumentiert. Die übrigen Dokumente der Schule hat der damalige Schulleiter 1945 verbrannt.

Aus: www.tagesspiegel.de, Beitrag von Katharina Ludwig, 10.12.2013

e. Welche historischen Dokumente wurden in der Rathenauschule gesammelt?
f. Inwiefern war die Schule in der NS-Zeit kein neutraler Ort?

B. Wählen Sie für jedes Wort die passende Definition.

a. die Gedenktafel: ....
b. das Mahnmal: ....
c. die Gedenkstätte: ....
d. das Denkmal: ....
e. das Opfer: ....

ein Ort, an dem man sich an die Vergangenheit erinnern soll

jemand, dem etwas Negatives passiert ist

Denkmal, das an etwas erinnert, damit es nie wieder geschieht

eine Tafel mit Inschrift zur Erinnerung an eine Person oder ein Ereignis

ein Monument, z. B. eine Statue

C. Wozu brauchen wir Mahnmale und Gedenkstätten? Beantworten Sie die Frage mit den Ausdrücken aus Aufgabe 3B. Benutzen Sie **um ... zu**.

aus den Fehlern lernen

an die Opfer erinnern

mehr Verantwortung für die Zukunft fühlen

Informationen über die geschichtlichen Ereignisse bekommen

die Geschehnisse der Vergangenheit nicht vergessen

Wir brauchen Mahnmale und Gedenkstätten, ...

....

....

....

....

....

....

....

....

D. Erzählen Sie die Geschichte des Projekts im Präteritum.

Das Projekt in der Schule .... **(kommt)** zu Stande, weil die Schülerinnen und Schüler der Walther-Rathenau-Schule schon lange über die Opfer des Nationsozialismus .... **(nachdenken)**. Sie .... **(wollen)** wissen, warum es kein Denkmal für die Opfer des Nationalsozialismus .... **(gibt)**. Sie .... **(unternehmen)** auch schon öfters Reisen nach Israel und Studienreisen nach Polen. So .... **(denken)** sie immer wieder an die Ermordeten. Auf diese Weise .... **(gelingt)** es ihnen, Informationen über diese Zeit zu sammeln.

I Neues Heldentum?

→ Livre p. 58

1. Helden von gestern und heute

A. Was charakterisiert Helden von heute und von gestern? Markieren Sie im Text und ergänzen Sie die Tabelle.

A

Helden früher

Früher galten Helden als mächtig, eindrucksvoll und als Vorbilder für Menschen. Meist waren sie Männer, wie Halbgötter oder mächtige Herrscher (in der Antike). Im Mittelalter waren Siegfried, König Arthur oder Robin Hood populär. Es gab aber auch wenige Frauen, die erst einige Jahre nach ihrem Tod zu Heldinnen oder zu Heiligen erklärt wurden. Gute Beispiele sind die Jungfrau von Orleans und die Heilige Elisabeth. Doch allein reich und mächtig zu sein, reichte nicht! Um ein Held zu werden, musste man unlösbar erscheinende Aufgaben oder Prüfungen bewältigen, wie zum Beispiel gegen gefährliche Ungeheuer kämpfen. Diese Taten wurden damals mündlich weitergegeben und so immer mehr verändert, dass die Geschichten der Helden heute nicht mehr nachweisbar sind.

B

Helden von heute

Heute werden Helden oft mit Actionfilmen in Verbindung gebracht. Für Kinder zwischen 5 und 16 Jahren sind Helden meist Spiderman, Superman, Batman und Co. oder Familienmitglieder, wie Mama und Papa. Für die Altersgruppe zwischen 20 und 50 Jahren sind es Herkules, Barack Obama, Sportler usw. 60- bis 80-Jährige bevorzugen Soldaten, Krankenschwestern der Kriegszeit, sowie ihre Ehepartner. Doch was sind eigentlich Helden? Wo sind unsere Helden heute? Müssen sie Superkräfte haben? Gibt es überhaupt noch Helden? So viele Fragen und deren Antworten werfen immer wieder neue Fragen auf. Wenn wir uns doch so nach Helden sehnen, warum schenken wir den Alltagshelden so wenig Aufmerksamkeit? Doch eins steht fest. Egal, ob es Superman, Papa, die Feuerwehr oder Jürgen Klinsmann ist, jeder hat seine ganz eigene Vorstellung eines Helden.

Aus: www.winfriedschule-fulda.de

Helden von gestern	Helden von heute
mächtig	in Actionfilmen

B. Wählen Sie eine/n fiktive/n oder reale/n Held/in aus. Kreuzen Sie die Begriffe an, die ihn/sie am besten beschreiben. Ergänzen Sie die Liste mit weiteren Eigenschaften.

- ☐ bekannt sein
- ☐ legendär sein
- ☐ mächtig sein
- ☐ etwas Besonderes leisten
- ☐ weltgeschichtliche Bedeutung haben
- ☐ großen Mut haben
- ☐ außergewöhnliche Taten vollbringen
- ☐ ein Vorbild sein
- ☐ eine fiktive Gestalt sein
- ☐ gegen das Böse kämpfen
- ☐ aus einem Actionfilm stammen
- ☐ Superkräfte haben
- ☐ ....
- ☐ ....
- ☐ ....
- ☐ ....
- ☐ ....
- ☐ ....

C. Ergänzen Sie mit dem passenden Relativpronomen.

Ein Held ist heute jemand, ... (1) großen Mut hat. Es ist eine Person, ... (2) man vertrauen kann und .... (3) sehr oft ein Vorbild ist. Während Helden früher häufig Halbgötter waren, ist heute ein Held eine Figur, mit .... (4) man sich identifizieren kann. Die damaligen Superkräfte, ... (5) wesentlich waren, werden nicht mehr bewundert. Ein Sportler kann ein Vorbild werden, ... (6) großen Einfluss auf unseren Alltag hat.

D. Verfassen Sie mithilfe Ihrer Notizen aus 1B einen Text über Ihre Heldenfigur und erklären Sie dabei, warum Sie sie gewählt haben.

....

....

....

....

....

....

E. Lesen Sie den Text noch einmal und markieren Sie die richtige Aussage.

Was habe ich verstanden?

	R	F
1. Früher konnte jedermann ein Held sein.		
2. Früher war das wichtigste Kriterium für einen Helden der Reichtum.		
3. Heute gibt es keine bestimmte Definition eines Helden. Jeder kann zum Helden werden.		
4. Frauen konnten auch damals als Heldinnen betrachtet werden.		
5. Kinder und Jugendliche sind heute nicht mehr von Helden mit Superkräften fasziniert.		
6. Heute interessieren sich die Menschen sehr für Alltagshelden.		
7. Es gibt schriftliche Beweise von damaligen Heldentaten.		
8. Menschen brauchen heute keine Helden mehr.		

2. Brauchen wir Helden?

A. Was macht einen Helden aus? Lesen Sie die Blogbeiträge und erstellen Sie mit diesen und anderen Begriffen eine Mindmap.

Was habe ich verstanden?

„Ich würde gerne wissen, warum die Welt Helden braucht. Könnt ihr mir sagen, ob die Welt durch Helden besser wird? Ich bin gespannt, was ihr darüber denkt!

„Klar brauchen wir Helden! Schließlich ist der Großteil der Menschheit egoistisch und nicht mutig genug. Das ist der Punkt, wo wir Helden benötigen: Mit mehr Zivilcourage wäre die Welt auch besser.

„Was für Helden meinst du überhaupt? Solche Figuren wie Batman und Spiderman oder unsere Alltagshelden? Fiktive Comic- und Filmhelden geben uns Sicherheit, weil am Ende das Gute gewinnt. Aber wichtiger sind die Helden des Alltags: mutige Menschen, die anderen helfen. Diese Helden sind wirklich ein Vorbild für alle. Hier sage ich: „Ja, die brauchen wir!"

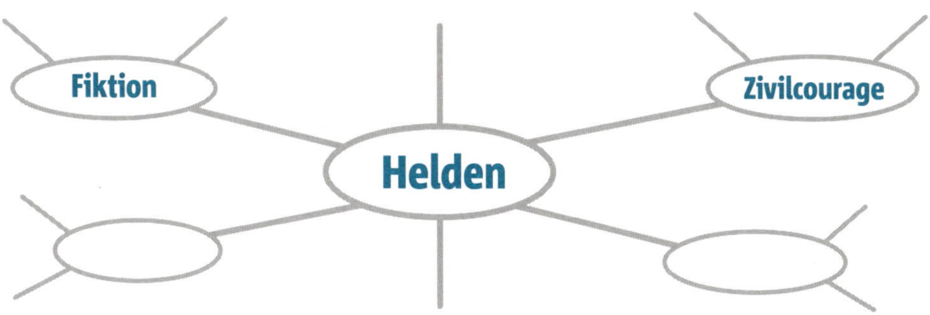

B. Sehen Sie sich das Video zum Roman „Heldentage“ an. Wie wird ein Held definiert? Welche Argumente werden erwähnt? **Film 6**

- ☐ **a.** immer da sein
- ☐ **b.** immer Erfolg haben
- ☐ **c.** keine Superkräfte haben
- ☐ **d.** alles richtig machen
- ☐ **e.** ein Vorbild sein
- ☐ **f.** Mut beweisen
- ☐ **g.** mächtig sein
- ☐ **h.** seine Ideen durchsetzen
- ☐ **i.** anderen helfen
- ☐ **j.** etwas von sich aus machen
- ☐ **k.** reich und intelligent sein
- ☐ **l.** sich für andere einsetzen
- ☐ **m.** liebenswerte Kleinigkeiten machen
- ☐ **n.** viel erreichen

C. Ergänzen Sie nun die Mindmap von Aufgabe 2A.

D. Sehen Sie sich das Video noch einmal an und markieren Sie die richtige Aussage. **Film 6**

Was habe ich verstanden?

Ein Held ist jemand, der...

1. Person Nr. 1
- ☐ **a.** ... alles richtig macht.
- ☐ **b.** ... mir hilft.

2. Person Nr. 2
- ☐ **a.** ... immer da ist.
- ☐ **b.** ... den anderen hilft.

3. Person Nr. 3
- ☐ **a.** ... alles zusammen unternimmt.
- ☐ **b.** ... seine Ideen durchsetzt.

4. Person Nr. 4
- ☐ **a.** ... nicht unbedingt kräftig ist.
- ☐ **b.** ... immer da ist.

5. Person Nr. 5
- ☐ **a.** ... seine Ziele verfolgt.
- ☐ **b.** ... alles richtig macht.

6. Person Nr. 6
- ☐ **a.** ... Mut beweist.
- ☐ **b.** ... nur richtige Sachen macht.

7. Person Nr. 7
- ☐ **a.** ... viel erreicht.
- ☐ **b.** ... liebenswerte Kleinigkeiten macht.

8. Person Nr. 8
- ☐ **a.** ... tut, was er denkt.
- ☐ **b.** ... viel geschafft hat.

3. „Ich brauche Träume“

A. Hören Sie die Buchpräsentation noch einmal an. **CD p. 10**

Was habe ich verstanden?

1. Lea ist ...
- ☐ **a.** 14 Jahre alt.
- ☐ **b.** 15 Jahre alt.
- ☐ **c.** 16 Jahre alt.

2. Sie fühlt sich schlecht, weil ...
- ☐ **a.** ihre erste Liebe vorbei ist.
- ☐ **b.** sie keine Freunde hat.
- ☐ **c.** sie im Sommer zu Hause bleibt.

3. Leas Mutter ...
- ☐ **a.** arbeitet zu viel und ist nie zu Hause.
- ☐ **b.** arbeitet nicht und trinkt zu viel.
- ☐ **c.** arbeitet und hat einen neuen Freund.

4. Lea kämpft für ein besseres Leben, indem sie ...
- ☐ **a.** schreibt.
- ☐ **b.** rennt.
- ☐ **c.** mit Freunden ausgeht.

5. Pola ist Leas Vorbild, weil sie ... (mehrere Antworten!)
- ☐ **a.** schön ist.
- ☐ **b.** sich für andere einsetzt.
- ☐ **c.** weiß, was sie will.
- ☐ **d.** immer für sie da ist.
- ☐ **e.** rebellisch ist.

B. Was zeigt, dass Lea einen starken Willen hat? Markieren Sie die passenden Stellen im Text.

Lea, von ihren Freunden wegen ihres langen glatten blonden Haars auch „Spaghetti" genannt, hat einen Traum ...

Pola ist mir unglaublich wichtig, und deshalb bin ich auch nicht neidisch auf ihren Erfolg. Außerdem glaube ich fest daran, dass auch ich eines Tages berühmt sein werde. Das wollen alle, klar, aber ich will es wirklich. Ich will es, um die Welt zu verändern. Ich will, dass die Welt ein besserer Ort wird. Ich schreibe etwas, das alle lesen, und irgendwie (keine Ahnung wie) schaffe ich es, dass sie es nie wieder vergessen, dass es für alle Zeiten in ihren Köpfen und Herzen bleibt. Wenn ich das schaffe, werde ich sicher die erste weltberühmte Heldin mit einem Lebensmittelnamen, knapper Luft und heißer Sonnenscham* sein.

*Lea bezieht sich auf ihren Spitznamen „Spaghetti", ihr Asthma und ihre Dermitis.

Aus: Sabine Raml, „Heldentage", Wilhelm Heyne Verlag, 2015

C. Ergänzen Sie den Bericht einer Leserin für die Schülerzeitung. Verben bitte konjugieren!

verbessern | verlassen | sich nach etwas sehnen | an etwas fest glauben | helfen | Träume | das Vorbild | die Leidenschaft | Gesundheitsprobleme | deprimierend | überzeugt

Hallo Leute!
Ich habe gerade ein interessantes Buch gelesen. Lea, ein 15-jähriges Mädchen, ... (1) einem besseren Leben. Zu Hause ist die Stimmung .... (2): Ihre Mutter arbeitet nicht und hat ein Alkoholproblem. Leas Freund hat sie gerade .... (3) und sie hat außerdem .... (4), nämlich Asthma und eine Allergie. Glücklicherweise hat sie ein .... (5), ihre beste Freundin Pola, die ihr .... (6). Aber noch wichtiger ist ihre große .... (7), das Schreiben. Sie ist davon .... (8), dass ihre Bücher die Welt .... (9) werden. Ihre .... (10) geben ihr Kraft und Energie, weiter zu machen. Die Geschichte ist sehr spannend und gut geschrieben. Ich kann es nur empfehlen! 100% Lachen, Tränen und Träume garantiert!!!

4 Legendär

II Zeitlose Mythen

→ Livre p. 61

1. Legende wider Willen

A. Hören Sie die Reportage und ergänzen Sie den Steckbrief. CD p. 11 / MP3 p. 4

Name: Elisabeth Amalie Eugenie, genannt „Sisi"
Titel: ....
Geburtsjahr und -ort: ....
....
Ehemann: Franz Joseph I.
Kinder: ....
Hobbys: ....
....

Körpermaße:
Körpergröße 172 cm, Gewicht 46-50 kg
Besondere Merkmale: ....
....
Todesalter: ....
Todesursache: ....
....

B. Hören Sie die Reportage noch einmal. Richtig (**R**) oder Falsch (**F**)? Markieren Sie. CD p. 11 / MP3 p. 4

Was habe ich verstanden?

	R	F
1. Sisi wollte immer schon Kaiserin werden.		
2. Sie kam aus einer adeligen Familie.		
3. Sie hatte ein glückliches Leben.		
4. Sisi wollte nicht in Wien bleiben.		
5. Sisi machte ihren Job als Kaiserin nicht besonders gut.		
6. Die Menschen liebten Sisi, weil sie wunderschön war.		
7. Sisi hasste Sport.		
8. Zwei ihrer Kinder starben vor ihr.		

2. Sisi – Mythos einer Märchenprinzessin

A. Lesen Sie den Text und machen Sie sich Notizen zu folgenden Punkten.

Aussehen	Privatleben / Beschäftigungen	Charakter

Sie war die schönste Frau ihrer Zeit: Elisabeth Amalie Eugenie, genannt Sisi. Romy Schneider machte sie zur Kaiserin der Herzen. In aller Welt beweinen Abermillionen von Film-Fans bis heute ihr Schicksal.

Man vergleicht sie mit Lady Diana und sieht in ihr das erste Top-Model der Geschichte – immer wieder wird sie aufs Neue interpretiert. Schon vor mehr als 100 Jahren wurde Sisi von Schaulustigen und Paparazzi gejagt. Der Wiener Tratsch unterstellte ihr Affären, und sie sorgte für Skandale, weil sie wie eine Jet-Set-Prinzessin auf teuren Yachten übers Meer segelte. Sisi hungerte bis zur Magersucht und marterte ihren Körper mit exzessivem Training, mit Reiten, Fechten und „Power-Walking", damit ihre berühmte Wespentaille immer schlanker wurde. Sie schuf ein neues Schönheitsideal. Sie war eine Rebellin und Exzentrikerin, die schon zu Lebzeiten zum Mythos wurde.

Der Film fragt nicht nur nach Legende und Wahrheit. Im Mittelpunkt steht die Frage, was Sisi bis heute zur perfekten Projektionsfläche für mediale Träume und für die Sehnsüchte der Massen macht. [...] Ruhm und Glamour neben privatem Unglück und einem gewaltsamen Tod - das liefert den Stoff für immer neue Legenden. Eine bildschöne Monarchin, die menschenscheu war und ihr Gesicht hinter schwarzen Fächern und Sonnenschirmen versteckte, beflügelte wie keine andere die Fantasie und Neugier ihrer Zeitgenossen. [...]

Aus: www.phoenix.de, „Sisi - Mythos einer Märchenprinzessin", 25.12.2014

B. Lesen Sie den Text noch einmal und markieren Sie die Ausdrücke, die nicht ins 19. Jahrhundert passen.

C. Durch welche Wörter könnten Sie die modernen Ausdrücke der linken Spalte ersetzen? Ordnen Sie zu.

das Top-Model	schnelles Gehen
die Paparazzi	Turnen
die Jet-Set-Prinzessin	Fotoreporter
das Training	Verzicht auf Essen
das Power-Walking	Schönheitsvorbild
die Magersucht	Frau mit luxuriösem Lebensstil

D. Verfassen Sie einen Beitrag für die Kulturseite der Schülerzeitung.
Die Angaben helfen Ihnen.

Sisi Die Kaiserin Kaiserin Elisabeth	hoffte auf (A) sehnte sich nach (D) träumte von (D) wünschte sich (A) lehnte sich auf gegen (A) hasste (A) litt unter (D)	die Freiheit ein perfekter Körper die Einsamkeit die prachtvolle Hofburg das Hofzeremoniell Menschenmassen ferne Reiseziele Depressionen ein Schönheitsideal ihre Rolle als Kaiserin Regeln

Sie können auch folgende Konjunktionen verwenden:

außerdem ... **darüber hinaus ...** **dazu ...** **..., denn ...** **... nämlich ...**

....

....

....

....

....

....

....

....

....

....

....

3. Opfer eines Mythos?

A. Lesen Sie den Text und beantworten Sie die Fragen.

1. Was machte Romy Schneider in Deutschland zum Mythos? ....

....

2. Warum ist Romy Schneider nach Frankreich ausgewandert? ....

....

3. Warum sehnt sich der moderne Mensch nach Mythen? ....

....

4. Wählen Sie eine passende Umschreibung für den Untertitel des Artikels.

☐ **a. Das deutsche Publikum mochte Romy Schneider als Person nicht.**

☐ **b. Das deutsche Publikum hatte kein Interesse an Romys schauspielerischem Talent.**

Der Mythos Romy Schneider

Warum die Deutschen ihre Besten nicht lieben

Am 29. Mai jährt sich der Todestag von Romy Schneider [...]. Seit dem Tod der Schauspielerin im Jahr 1982 ist immer wieder die Rede vom „Mythos Romy Schneider“. Meist geht es in diesem Zusammenhang vor allem um die schöne Frau und ihr tragisches Leben.

Selten hingegen wird die schauspielerische Leistung der Schneider als Grund für deren ungebrochene Popularität angeführt. Wie schon zu ihren Lebzeiten dreht sich alles um die unverstandene Schauspielerin, ihre Schicksalsschläge – und ihr schwieriges Verhältnis zum deutschen Publikum.

Ihr Sissi-Image konnte Romy Schneider in Deutschland niemals abschütteln. Die Öffentlichkeit zwang sie quasi zur Flucht nach Frankreich. Beruflich war sie dort ausgesprochen erfolgreich. Ihre Schönheit und ihr Schauspieltalent überzeugten die Filmemacher, das französische Publikum lag ihr zu Füßen. Doch privat fand Romy Schneider auch im Ausland kein Glück. Es mag zynisch klingen. Aber genau dies ist der Stoff, aus dem moderne Mythen gemacht werden. Und die sind heute wichtiger denn je.

Obwohl das Leben immer rationaler wird und nichts mehr wirklich geheimnisvoll ist, sehnt sich der Mensch auch heute noch nach dem Unbegreiflichen, dem Unerreichbaren. Wohl auch deshalb schaffen wir uns immer wieder unsere eigenen Legenden.

Aus: www.seniobook.de, Beitrag von Katrin Sinoun, 2012

B. Lesen Sie den Text noch einmal und kreuzen Sie alle zutreffenden Aussagen an. Es sind mehrere Antworten möglich.

Was habe ich verstanden?

1. Romy Schneider wurde in Deutschland zum Mythos dank ...

- ☐ **a.** ihrer schauspielerischen Leistungen.
- ☐ **b.** ihrer Schönheit.
- ☐ **c.** ihrer Rolle als Sissi.

2. In Frankreich fand sie ...

- ☐ **a.** die Liebe.
- ☐ **b.** keinen Erfolg.
- ☐ **c.** ein begeistertes Publikum.

3. Romy Schneider betrachtete ihre Rolle als Sissi ...

- ☐ **a.** als eine Chance.
- ☐ **b.** als unwichtig.
- ☐ **c.** als Schicksal.

4. Privat hat sie ...

- ☐ **a.** sehr schwierige und harte Zeiten erlebt.
- ☐ **b.** ein zufriedenes und ruhiges Leben geführt.
- ☐ **c.** ein ganz normales Leben geführt.

5. Was machte Romy Schneider zum Mythos nach ihrem Tod?
☐ **a.** Ihre Schönheit.
☐ **b.** Ihr tragisches Schicksal.
☐ **c.** Ihr außergewöhnliches Schauspieltalent.

6. Ein Mythos entsteht durch ...
☐ **a.** Geheimnisse und Unglück.
☐ **b.** Schönheit und Talent.
☐ **c.** Provokationen und Popularität.

C. In Romy Schneiders Leben gibt es viele Widersprüche. Verbinden Sie die Sätze anhand der Konjunktion **obwohl**.

1. Die „Sissi"-Trilogie hatte in Deutschland viel Erfolg. Romy Schneider wurde vom deutschen Publikum nicht als Schauspielerin bewundert. ....

....

2. Romy Schneider war privat nicht sehr glücklich. Ihre berufliche Karriere war erfolgreich.

....

3. Sie spielte viele anderen Rollen. In ihrer Rolle als Sissi wurde sie nie vergessen. ....

....

4. Die historische Sisi war zu ihrer Zeit nicht sehr beliebt. Romy Schneider machte sie zur Kaiserin der Herzen. ....

....

D. Wie wird man zum Mythos? Romy Schneider wurde oft mit der historischen Sisi verglichen. Lesen Sie den Text noch einmal und ergänzen Sie die folgende Tabelle. Die Spalte bezüglich Sisi ergänzen Sie mit den Informationen aus dem Text auf S. 41.

	Romy Schneider	Kaiserin Elisabeth
Aussehen		
Privatleben		
Verhältnis zur Heimat		
Verhältnis zu Menschen		

E. Vergleichen Sie das Leben der beiden Frauen. Ergänzen Sie die Sätze jeweils mit dem passenden Ausdruck.

beide | **genau wie** | **je ... desto** | **im Gegensatz zu** | **im Gegensatz dazu** | **während** | **wie**

1. Romy Schneider suchte .... Sisi nach privatem Glück.
2. .... Frauen verloren ein Kind.
3. Romy Schneider strebte nach Ruhm, ... Sisi.
4. Sisi trieb viel Sport und reiste, ... sich Romy Schneider ihrer Karriere widmete.
5. .... Sisi hatte Romy Schneider einen tragischen Tod.
6. .... älter Sisi wurde, ... menschenscheuer wurde sie.
7. .... erschien Romy Schneider regelmäßig vor dem Publikum.

F. Welche Wörter gehören Ihrer Meinung nach in die Definition eines „Mythos" im Sinne von Romy und Sisi? Formulieren Sie Ihre eigene Definition.

- ☐ Reichtum
- ☐ Angst
- ☐ Schönheit
- ☐ Bewunderung
- ☐ Tragödie
- ☐ Faszination
- ☐ Exzentrik
- ☐ Stärke
- ☐ Geheimnis
- ☐ Träume

....
....
....
....
....
....

5 Am Anfang war der Wald ...

Wald: nicht nur Natur

→ Livre p. 73

A. Situationen: Schreiben Sie unter jede Abbildung die Adjektive, die Ihnen passend erscheinen.

stark | gefährlich | abenteuerlich | romantisch | mutig | sportlich

vertraut | idyllisch | märchenhaft | düster | unheimlich | mysteriös

1 Max Koch, „Siegfried tötet den Drachen“, 1904

....

....

2 August Macke, „Waldspaziergang“, 1913

....

....

3 Alexander Zick, „Hänsel und Gretel im Wald“, 1886

....

....

4 Dirt-Biking als Trendsport

....

....

5 Sonntagsspaziergang im Wald, eine deutsche Tradition

....

....

B. Was könnten die dargestellten Personen bzw. Figuren denken? Ordnen Sie die Aussagen den Abbildungen aus Aufgabe A zu.

☐ **a.** „Ach, ist das hier idyllisch! Welche Ruhe unter den Bäumen!“
☐ **b.** „Mach dir keine Sorgen, Schwesterchen, wir finden wieder nach Hause!“
☐ **c.** „Dich werde ich mit diesem letzten Schlag töten!“
☐ **d.** „So kann man sich am Wochenende zusammen entspannen und Energie tanken ...“
☐ **e.** „Die beste Kombination: Natur, Action, Fun!!!“

I Deutsches Kulturerbe

→ Livre p. 74

1. Ein bisschen Geschichte

A. Hören Sie das Gespräch. Welche Aspekte werden jeweils angesprochen? Markieren Sie. CD p. 13

- [ ] Freiheit
- [ ] Bedrohung
- [ ] Angst
- [ ] Entspannung
- [ ] Gefühle
- [ ] Abenteuer
- [ ] Stärke
- [ ] Glauben
- [ ] Kriege und Schlachten
- [ ] deutsche Identität

B. Hören Sie das Gespräch noch einmal. Sind die Aussagen richtig (**R**) oder falsch (**F**)? Notieren Sie. CD p. 13

Was habe ich verstanden?

- [ ] **1.** Anton braucht Informationen für ein Referat und ruft deshalb Anna an.
- [ ] **2.** Annas Familie interessiert sich nicht besonders für den Wald und die Natur.
- [ ] **3.** Bei 90 % der deutschen Familien spielt der Wald eine große Rolle im Alltag.
- [ ] **4.** Der Wald wurde im Mittelalter als idyllisch und vertraut empfunden.
- [ ] **5.** Der Teutoburger Wald bekam ab dem 19. Jahrhundert eine politische Bedeutung.
- [ ] **6.** Für die Romantiker war der Wald der Ort der Gefühle.

C. Verbinden Sie die Satzglieder jeweils mit **während**.

1. Früher wurde der Wald als Ort des Bösen und Unheimlichen empfunden. Der Wald ist heute ein Ort für Abenteuer und Erholung.

Während der Wald früher ...

....

....

2. Die Menschen haben im Mittelalter den Wald mit negativen Gefühlen verbunden. Die Deutschen assoziieren den Wald im 21. Jahrhundert mit positiven Eigenschaften.

....

....

3. Heute ist der Wald ein Ort des Abenteuers und des Spiels. Früher war der Wald wirklich gefährlich und die Menschen sind damals dort nicht gern hingegangen.

....

....

4. Die deutsche Kultur hat dem Wald viel zu verdanken. In anderen Ländern hat der Wald nicht diese Bedeutung.

....

....

5. Viele Kriege und Schlachten haben im Wald stattgefunden. Der Wald ist heute ein Ort, wo man sich frei und entspannt fühlt.

....

....

5 Am Anfang war der Wald ...

2. Der Wald der Künstler

A. Markieren Sie alle Verben und klären Sie ihre Bedeutung.

A. Im Walde möcht' ich leben

Im Walde möcht' ich leben
Zur heißen Sommerzeit!
Der Wald, der kann uns geben
____

In seine kühlen Schatten
Winkt jeder Zweig und Ast;
____
Nickt mir: komm, lieber Gast!

Wie sich die Vögel schwingen
Im hellen Morgenglanz!
Und Hirsch' und Rehe springen
____

Von jedem Zweig und Reise
Hör nur, wie's lieblich schallt!
____
Kommt, kommt in grünen
Wald!

August Heinrich Hoffmann von Fallersleben, 1835

B. Mondnacht

Es war, als hätt' der Himmel
____
dass sie im Blütenschimmer
von ihm nun träumen müsst.

____
die Ähren wogten sacht,
es rauschten leis die Wälder,
so sternklar war die Nacht.

Und meine Seele spannte
weit ihre Flügel aus,
____
als flöge sie nach Haus.

Joseph von Eichendorff, 1837

- Die Luft ging durch die Felder,
- Sie singen laut und leise:
- Viel Lust und Fröhlichkeit.
- die Erde still geküsst,
- Das Blümchen auf den Matten
- flog durch die stillen Lande,
- So lustig wie zum Tanz.

B. Ordnen Sie jeder Strophe jeweils eine passende Aussage zu.

Zu: Im Walde möcht' ich leben

Die Tiere fühlen sich im Wald sehr wohl.
› **Strophe:** ....
Der Dichter liebt den Wald im Sommer.
› **Strophe:** ....
Die Natur kommuniziert mit dem Menschen.
› **Strophe:** ....
Der Wald lädt den Menschen zum Spaziergang ein. › **Strophe:** ....

Zu: Mondnacht

Der Dichter fühlt sich im Innersten mit der Natur verbunden.
› **Strophe:** ....
Die Blumen schimmern im Mondlicht.
› **Strophe:** ....
Die Nacht ist ganz still und man hört nur die Natur.
› **Strophe:** ....

C. Rekonstruieren Sie nun die beiden Gedichte.

3. Die alten Germanen

A. Bearbeiten Sie das Quiz zu zweit.

1. Ab wann kann man vom Volk der „Germanen“ sprechen?
a. Ab 80 vor Christus
b. Ab 480 nach Christus
c. Ab 780 nach Christus

2. Wie war die Vegetation im freien Germanien?
a. Das Land bestand zu 70 % aus wildem Wald.
b. Das Land bestand zu gleichen Teilen aus Wald, Wiesen und Feldern.
c. Das Land bestand vor allem aus Wiesen und Feldern.

3. Wie heißt der Wald, wo die Germanen unter der Führung von Hermann, Fürst der Cherusker, die Römer besiegten?
a. Der Odenwald
b. Der Schwarzwald
c. Der Teutoburger Wald

4. Wie lebten die Germanen?
a. Sie lebten in Steinhäusern in kleinen Dörfern.
b. Sie lebten in Häusern aus Stein und in großen Städten, wie die Römer.
c. Sie lebten in Holzhütten in kleinen Siedlungen im Wald und zogen oft um.

5. Was charakterisierte die Religion der Germanen?
a. Es war eine monotheistische Religion.
b. Es war eine polytheistische Religion.
c. Die Germanen hatten keine besondere Religion.

6. In der nordischen Mythologie spielte der Baum Yggdrasil eine wichtige Rolle.
a. Es war der Baum des Lebens.
b. Es war der Baum der Freiheit.
c. Es war der Baum des Todes.

7. Was für eine Sprache hatten die Germanen?
a. Eine skandinavische Sprache
b. Eine keltische Sprache
c. Eine indogermanische Sprache

8. Der Wald wurde zum „Mythos der Deutschen“ durch ...
a. ... das Studium der Germanen im Mittelalter.
b. ... die national-sozialistische Propaganda im 20. Jahrhundert.
c. ... durch Romantiker wie Jacob Grimm und ihre Interpretation von Tacitus' „Germania“ (100 n. Chr.).

Das Hermannsdenkmal erinnert an den Sieg über die Römer im Jahr 9 n. Chr.

B. Ziehen Sie nun Bilanz.

1. Wer war Hermann? Wann lebte er? Was passierte unter seiner Führung?

....

....

....

2. Was erfahren wir über die Germanen, ihre Lebensform und ihre Traditionen?

....

....

....

3. Wie und wann bekommt der Wald eine mythische Bedeutung für die Deutschen?

....

....

....

5 Am Anfang war der Wald ...

II Zurück in den Wald

→ Livre p. 77

1. „Into the Wild“

A. Lesen Sie den Text und markieren Sie die Informationen zu den folgenden Aspekten in zwei verschiedenen Farben.

Thema: Natur | **Thema: Simons Lebensweise**

Wenn Simon Baumeister* nachts nach Hause kommt, braucht er keinen Schlüssel. [...] Seit mehr als zwei Monaten stakst der 27-jährige nun jeden Tag den Freiburger Schlossberg hinauf. Eine Wohnungstür gibt es nicht. Stattdessen klettert Baumeister über einen Zaun. Seinen provisorischen Unterschlupf hat er auf einer Lichtung innerhalb eines eingezäunten Privatgrundstücks errichtet. Es war das einzige flache Waldstück vor und hinter einer dichten Wand aus Bäumen, wie er sagt. Darunter liegt Freiburg im Breisgau.

„Es ist schwierig, solche Freiräume zu finden“, erzählt Baumeister. Einen Monat lang habe er gesucht, sagt der Umweltwissenschaftsstudent. Mit Isomatte, Schlafsack, ein paar Büchern und Klamotten zog er schließlich auf dem Freiburger Schlossberg ein.

Er verließ seine WG, verschenkte seine Möbel und baute mit Unterstützung seiner Freunde den Unterschlupf. „Die Kosten für die Miete und der materielle Besitz sind mir zu Last geworden“, sagt er. „Man sammelt im Laufe der Zeit immer mehr Besitz an, und seit ich das nicht mehr habe, fühle ich mich freier.“

Wenn Baumeister spricht, schwingt Auflehnung mit und der Wunsch, ein wenig gesellschaftliche Unordnung zu erzeugen, vor allem aber das Bedürfnis, durch größere Freiheit zu sich selbst zu finden. [...]

Baumeisters Ansatz ist nicht bis ins Letzte konsequent: Sein Name steht noch am Briefkasten eines Freundes. Dort lädt er auch alle drei Tage sein Smartphone auf. Zum Duschen geht er zum nahe gelegenen Unisport-Zentrum. Bis zur Innenstadt sind es nur zehn Minuten zu Fuß. Ein Gärtnerjob neben der Uni und die finanzielle Unterstützung seiner Eltern bringen ihm ein wenig Geld. [...]

Einen Großteil seiner Lebensmittel holt er sich beim „Containern“. Er lebt also von dem, was andere im Supermarkt nicht mehr kaufen, weil es abgelaufen oder leicht beschädigt ist. „Ich brauche nicht viel Geld in der Woche“, erzählt er unbekümmert. [...] Gleichzeitig wolle er auch ein Zeichen setzen gegen die gesellschaftlichen Gesetze.

[...] So wie Baumeister im Wald zu leben, ist grundsätzlich nicht verboten – aber nur solange kein Zelt und keine Hütte errichtet wird. Streng genommen begeht er auf einem eingezäunten Waldgrundstück Hausfriedensbruch. [...]

Als der Eigentümer wenig später die Hütte bemerkt, alarmiert er die Polizei. Die beschlagnahmt Baumeisters Kamera, hinterlässt eine Notiz, er möge sich bei ihnen melden. Doch das tut der Student nicht – aus Angst vor einer Anzeige. Die Polizei kennt seinen Namen nicht – und das soll auch so bleiben.

*Name von der Redaktion geändert

Aus: www.taz.de, Beitrag von Anika Maldacker, 19.10. 2014

B. Lesen Sie den Text noch einmal und ergänzen Sie die Tabelle mit Zitaten aus dem Text.

1. Informationen über Simon	Alter:	Studium:	Job:	Stadt:	Wohnort: ....
2. Gründe für den Wechsel					
3. Schwierigkeiten, denen er begegnet					
4. Positive Seiten dieses neuen Lebensstils					

D. Lesen Sie noch einmal und ergänzen Sie dann den Lückentext. Was habe ich verstanden?

WG | Privatgrundstück | Freiheit | Stromanschluss | Entscheidung | Bilanz | Leben | Wasser | Zuhause | Nachteile | Regeln | Hütte

Simon ist ein 27 Jahre alter Student. Er hat bis jetzt in einer .... (1) gewohnt und möchte sich einmal ganz von den gesellschaftlichen .... (2) befreien. Er trifft also die .... (3), alles über Bord zu werfen und verlässt sein .... (4), um in einer kleinen .... (5) im Wald zu wohnen. Er lebt ganz bescheiden, mit ein paar Klamotten, ohne Strom und ohne fließendes .... (6). Seine Motivation liegt darin, dass er dem Gefühl der .... (7) näher kommen wollte. Sein Experiment hat aber auch .... (8): Simon kann nicht völlig auf sein bisheriges .... (9) verzichten: Er ist nicht komplett unabhängig und braucht einen .... (10) für sein Handy! Dazu kommt außerdem, dass er auf einem .... (11) wohnt und das nicht erlaubt ist. Simon zieht aber trotzdem eine interessante .... (12) aus dieser Erfahrung.

2. Der Wald als Ursprung

A. Lesen Sie das Gedicht: Welche Wörter haben mit der Natur zu tun, welche mit der Religion? Markieren Sie sie und ergänzen Sie die Tabelle.

Der Baum des Lebens

Deine Wurzeln, so tief,
verankert in der Erde,
Deine Blätter, so hoch,
Sonne und Sterne.

Erde und Himmel zugleich,
Dein Atem gibt uns Leben.
Früchte machen uns reich,
die wir von Dir nehmen.

Du bist das Zentrum der Welt,
seit Anbeginn der Schöpfung.
Urzustand, der zusammenhält,
Schicksal und Hoffnung.

Symbol für ewiges Leben,
Mittelpunkt im Paradies.
Du stehst im Garten Eden,
von dem der Mensch Dich verließ.
[...]

Zurück zum Ursprung,
zurück zur Natur.
Das ist Hoffnung,
ist Leben pur.

Markus Scherrmann alias Mark Cherry (geb. 1967)

Natur	Religion
die Wurzeln ...	der Himmel ...

B. Welche Ausdrücke passen zu diesem Gedicht? Begründen Sie Ihre Wahl.

poetisch | traurig | pathetisch | langweilig | schön

Ich finde das Gedicht ..., weil ...

3. Der Wald im Alltag

A. Sehen Sie sich das Video an und machen Sie sich Notizen zu den folgenden Punkten. Film 7

1. Konzept des Biosphärenreservats (Vorteile):

2. Informationen zum Baumwipfelpfad:

3. Informationen zu den Erlebniswegen:

B. Sehen Sie sich das Video noch einmal an: Warum ist es Ihrer Meinung nach wichtig, dass Kinder und Jugendliche das Biosphärenreservat besuchen? Verfassen Sie einen kurzen Text. Film 7

6 Grenzgänger

I Reisen ohne Grenzen

→ Livre p. 90

1. Reisen früher

A. Warum reisen? Lesen Sie den Text. Markieren Sie in einer Farbe die beruflichen Gründe, in einer anderen Farbe die privaten Gründe. Ergänzen Sie dann die Tabelle.

Reisen wegen der Arbeit	Reisen aus privaten Gründen
....	....
....	....
....	....
....	....

Im Mittelalter waren es zuerst die Händler, die weitere Reisen unternahmen, sie mussten es tun, um zu kaufen und zu verkaufen. Dann kamen die Pilger hinzu, die nach Rom wanderten – oft zu Fuß – um einen Sündenablass zu erreichen. Und schließlich die Schriftsteller, Maler und Architekten die bei ausländischen Meistern lernen wollten oder im Ausland künstlerische Inspiration suchten. Dürer zum Beispiel ging nach Holland und nach Italien, um zu lernen. Der reiche Bankier Fugger schickte seinen Sohn nach Venedig, damit er das italienische Bankensystem kennen lernen konnte. Italienische Maler und Architekten kamen nach Deutschland, um für deutsche Fürsten und Kaiser Aufträge auszuführen[4]. Der kleine Mozart fuhr mit seinem Vater durch Europa […], um bekannt zu werden. […]. Im 18. und 19. Jahrhundert wurde es in vielen reichen Familien Deutschlands, Englands und Frankreichs eine Gewohnheit, die heranwachsenden Söhne auf eine Art Bildungsreise nach Italien zu schicken, um die traditionelle Erziehung durch Privatlehrer zu Hause zu ergänzen.

Händler im Mittelalter. Miniatur aus Marco Polos Reisebericht

B. Reisen früher. Ergänzen Sie folgenden Text mit den Verben im Präteritum.

Schon im Mittelalter .... (**machen**) sich die Händler auf Reisen. Sie .... (**kaufen**), ... (**verkaufen**) und .... (**tauschen**) Waren. Pilger .... (**gehen**) auf Pilgerreise zu bekannten Wallfahrtsorten. Künstler .... (**reisen**), um Inspiration zu finden oder Aufträge für Fürsten zu erledigen. Neue Talente, wie Mozart zum Beispiel, ... (**müssen**) von Ort zu Ort fahren, um bekannt zu werden. Die Kinder reicher Familien .... (**verlassen**) ihren Heimatort, um sich zu bilden. Reisen .... (**sein**) zu dieser Zeit nur für eine Minderheit möglich.

2. Tourismus und Nachhaltigkeit

A. Welche positiven und negativen Folgen hat der Tourismus? Ordnen Sie zu und überprüfen Sie Ihre Lösung dann anhand des ersten Teils des Videos (bis 2'53"). Film 8

1. Der Tourismus schafft Arbeitsplätze.
2. Die Touristen produzieren viel Müll.
3. Die Tourismusbranche kann auch wenig qualifizierte Menschen beschäftigen.
4. Mit dem Flugzeug oder Auto anreisen verschmutzt die Luft.
5. Touristen verbrauchen viele Ressourcen wie z. B. Wasser.
6. Der Tourismus kann die lokalen Traditionen verändern.

Positive Folgen	Negative Folgen

B. Sehen Sie den zweiten Teil des Videos (ab 2'54"). Wie kann man Tourismus und Nachhaltigkeit besser verbinden? Bringen Sie die im Video genannten Aussagen in die richtige Reihenfolge. Film 8

Man sollte ...

- ☐ bei regionalen Anbietern buchen.
- ☐ niemals All-inclusive-Reisen buchen.
- ☐ mit dem Bus oder mit der Bahn reisen.
- ☐ lokale Produkte kaufen.
- ☐ lange bleiben, wenn man weit fährt.
- ☐ die Aktivitäten wählen, die zum Urlaubsort passen.
- ☐ nachhaltige Hotels wählen.

C. Sehen Sie das Video noch einmal ganz an. Richtig (**R**) oder falsch (**F**)? Markieren Sie. Film 8

Was habe ich verstanden?

- ☐ **a.** Immer mehr Menschen reisen.
- ☐ **b.** Der Tourismus bringt den Ländern viele Arbeitsplätze.
- ☐ **c.** In der Tourismusbranche braucht man immer eine hohe Qualifikation.
- ☐ **d.** Der Massentourismus hat nur Vorteile.
- ☐ **e.** Reisen mit Auto und Flugzeug verschmutzt die Umwelt.
- ☐ **f.** Die Touristen verbrauchen viel Wasser und produzieren viel Müll.
- ☐ **g.** Der nachhaltige Tourismus ist ein altes Konzept.
- ☐ **h.** Für die Nachhaltigkeit ist es unwichtig, ob man mit Auto, Bus, Bahn oder Flugzeug reist.
- ☐ **i.** All-inclusive-Angebote sind ein gutes Beispiel für Nachhaltigkeit.
- ☐ **j.** Ski fahren in Dubai ist ein Beispiel für eine Aktivität, die zum Urlaubsort passt.

D. **Weil**, **denn** oder **nämlich**? Ergänzen Sie.

1. Der Tourismus ist nicht gut, ... er die Natur zerstört.
2. Der Tourismus ist schädlich, ... Autos und Flugzeuge verschmutzen die Umwelt.
3. Der Tourismus ist ein Problem. Die Touristen produzieren .... viel Müll.
4. Tourismus hat auch positive Seiten, ... der Kulturaustausch gefördert wird.
5. Viele Länder brauchen den Tourismus, ... er schafft Arbeitsplätze für weniger Qualifizierte.

E. Verbinden Sie die Sätze mit **weil**, **denn** oder **nämlich**.

1. Der Massentourismus ist nicht gut. Die Umwelt wird zerstört. ....
....
2. Der Tourismus ist aber wichtig. Er bringt den Ländern neue Jobs. ....
....
3. Der Tourismus hat Nachteile. Die Kultur des Gastlandes leidet unter dem Einfluss der fremden Kulturen. ....
....
4. Der Tourismus hat Vorteile. Er bringt eine bessere Infrastruktur. ....
....
5. Die Umwelt leidet unter dem Tourismus. Die Menschen verbrauchen viel Wasser und Strom.
....

3. Reiseland Deutschland

A. Hören Sie die Kurzinterviews und notieren Sie, in welcher Reihenfolge die Orte genannt werden. **CD p. 18**

B. Hören Sie noch einmal und kreuzen Sie die richtige(n) Antwort(en) an. **CD p. 18**

Was habe ich verstanden?

1. Person Nummer 1 mag ...
☐ **a.** das Klima. ☐ **b.** die Tiere. ☐ **c.** den Radsport.

2. Person Nummer 2 gefallen ...
☐ **a.** Museen. ☐ **b.** Konzerte. ☐ **c.** Menschen.

3. Person Nummer 3 fährt gerne ...
☐ **a.** Motorrad. ☐ **b.** Fahrrad. ☐ **c.** Roller.

4. Person Nummer 4 mag am liebsten ...
☐ **a.** Wandern. ☐ **b.** Skifahren. ☐ **c.** Essen.

5. Person Nummer 5 begeistert sich fürs ...
☐ **a.** Shoppen. ☐ **b.** Sightseeing. ☐ **c.** Segeln.

II Willkommenskultur?

→ Livre p. 93

1. Ich bin ein Flüchtling

A. Hier finden Sie eine Liste von Vorurteilen. Ordnen Sie jedem Vorurteil ein passendes Schlagwort zu.

Integration | Geld | Platz | Kultur | Arbeit

Krankheiten | Kriminalität | Terror | eigene Probleme

1. Die meisten Flüchtlinge kommen aus wirtschaftlichen Gründen. ....
2. Wir haben einfach keine Wohnungen mehr für noch mehr Menschen. ....
3. Viele Asylbewerber sind Verbrecher. ....
4. Die deutsche Identität gerät durch die Zuwanderung in Gefahr. ....
5. Wenn so viele Menschen kommen, ist es für Terroristen leicht, unentdeckt zu bleiben. ....
6. Wir haben schon genug deutsche Arbeitslose und Sozialhilfeempfänger. ....
7. Wir haben genug Sorgen mit unseren eigenen Armen, Schwachen und Kranken. ....
8. Die Flüchtlinge bringen neue Viren und Bakterien mit. ....
9. Diese Menschen können sich der deutschen Mentalität nicht anpassen. ....

B. Sehen Sie sich den Videospot an und machen Sie sich Notizen zu diesen Punkten. Verfassen Sie dann einen kurzen Text mit der zentralen Aussage des Spots. **Film 9**

a. Was machen die Personen? | **b.** Wer sind sie wohl? | **c.** Wo sind sie?

....

....

....

2. Eine Rede zum Tag der Deutschen Einheit

A. Lesen Sie den folgenden Text. Was meint der Bundespräsident mit den im Text markierten Worten? Ordnen Sie zu.

1. Rückblick auf mutige Menschen
2. Friedliche Revolution
3. immense Aufgaben für unsere Gesellschaft
4. innere Einheit
5. nun stellt sich die Frage der inneren Einheit neu
6. ein inneres Band zwischen Einheimischen und Neuankömmlingen
7. hier eine Bleibeperspektive haben

a. eine Revolution ohne Waffen
b. für immer in Deutschland bleiben können
c. Deutsche und Flüchtlinge sollten solidarisch sein
d. die Erinnerung an die Menschen, die Mut bewiesen haben
e. Menschen eines Landes, die sich zusammengehörig fühlen
f. das Zusammengehörigkeitsgefühl aller Menschen in Deutschland muss neu geschaffen werden
g. Deutschland steht vor einer großen Aufgabe

6 Grenzgänger

A Der Tag der Deutschen Einheit. Das ist für unser Land seit 25 Jahren ein Datum der starken Erinnerungen, ein Anlass für dankbaren Rückblick auf mutige Menschen. Auf Menschen, deren Freiheitswille Diktaturen ins Wanken brachte, in Danzig, Prag und Budapest. Auf Menschen auch in Leipzig, Plauen und so vielen anderen Orten der DDR, die mit der Friedlichen Revolution die Vereinigung beider deutscher Staaten überhaupt erst vorstellbar werden ließen. [...] Aber in diesem Jahr ist doch manches anders. So mancher fragt: Warum zurückblicken? [...] Was können wir feiern in einer Zeit, in der hunderttausende Männer, Frauen und Kinder bei uns Zuflucht suchen? Einer Zeit, in der wir vor so immensen Aufgaben für unsere Gesellschaft stehen? [...]

B Innere Einheit [...] entsteht, wo wir sie wirklich wollen und uns dann ganz bewusst darum bemühen. Innere Einheit entsteht, wenn wir uns auf das Machbare konzentrieren [...]. Und innere Einheit lebt davon, dass wir im Gespräch darüber bleiben, was uns verbindet und was uns verbinden soll.[...] Meine Damen und Herren, die innere Einheit Deutschlands konnte vor allem wachsen, weil wir uns als zusammengehörig empfanden und weil wir in Respekt vor denselben politischen Werten gemeinsam leben wollten. Doch nun, da viele Flüchtlinge [...] nach Deutschland getrieben werden, nun stellt sich doch die Aufgabe der inneren Einheit neu. Wir spüren: Wir müssen Zusammenhalt wahren zwischen denen, die hier sind, aber auch Zusammenhalt herstellen mit denen, die hinzukommen. Es gilt, wiederum und neu, die innere Einheit zu erringen. [...]

C Aber was heißt es nun, die innere Einheit wieder und neu zu erringen, wenn sich die Zusammensetzung der Bevölkerungen in kurzer Zeit so erheblich verändert? Wie schaffen es Staaten, wie schaffen es Gesellschaften, ein inneres Band zwischen Einheimischen und Neuankömmlingen herzustellen?[...] Der Empfang der Flüchtlinge im Sommer dieses Jahres war und ist ein starkes Signal gegen Fremdenfeindlichkeit, Ressentiments, Hassreden und Gewalt. Und was mich besonders freut: Es ist ein ganz neues, ganz wunderbares Netzwerk entstanden – zwischen Ehrenamtlichen und Hauptamtlichen, zwischen Zivilgesellschaft und Staat. [...]

Zu diesem Land gehören heute Menschen verschiedener Herkunftsländer, Religionen, Hautfarben, Kulturen – Menschen, die vor Jahrzehnten eingewandert sind, und zunehmend auch jene, die augenblicklich und in Zukunft kommen, hier leben wollen und hier eine Bleibeperspektive haben [...].

Auszug aus Bundespräsident Joachim Gaucks Rede beim Festakt „25 Jahre Deutsche Einheit“ am 3. Oktober 2015 in Frankfurt/Main

B. Lesen Sie die Rede noch einmal und kreuzen Sie alle korrekten Aussagen an.

Was habe ich verstanden?

1. Der Tag der Deutschen Einheit wird gefeiert,
- **a.** ... weil mutige Menschen friedlich für Freiheit kämpften.
- ☐ **b.** ... weil die Wiedervereinigung an diesem Tag vollzogen wurde.
- ☐ **c.** ... weil es der Nationalfeiertag der Deutschen ist.

2. Das Besondere an diesem 25. Jahrestag ist,
- ☐ **a.** ... dass sich Deutschland fast nicht verändert hat.
- ☐ **b.** ... dass Deutschland vor großen Veränderungen steht.
- ☐ **c.** ... dass viele Deutsche wieder eine Teilung wollen.

3. „Innere Einheit“ heißt,
- ☐ **a.** ... dass alle Deutschen die gleiche Sprache sprechen.
- ☐ **b.** ... dass alle gleich patriotisch sind
- ☐ **c.** ... dass die Menschen sich ihrem Land zugehörig fühlen und eine Nation bilden.

4. Man kann die innere Einheit wahren,
- ☐ **a.** ... indem man sich für die gleichen Ziele engagiert.
- ☐ **b.** ... indem Staat und Zivilgesellschaft zusammen arbeiten.
- ☐ **c.** ... indem man Menschen zwingt, die gleiche Religion und Kultur zu haben.

C. Was erwartet der Bundespräsident von den Deutschen? Ergänzen Sie mit dem passenden Relativpronomen.

Der Bundespräsident spricht in seiner Rede von den Deutschen, ... (1) vor 25 Jahren friedlich die deutsche Einheit geschaffen haben. Nun stellt sich die Frage, was es zu feiern gibt, in einer Zeit, in .... (2) so viele Menschen nach Deutschland flüchten. Der Staat, ... (3) jetzt entsteht, wird noch multikultureller sein als bisher. Die Menschen, an .... (4) sich Gauck wendet, sollen um die innere Einheit kämpfen. Es muss ein Bund entstehen zwischen den Einheimischen und den Menschen, ... (5) nun nach Deutschland kommen. Der Bundespräsident ist optimistisch, denn es gibt viele Deutsche, ... (6) sich um Flüchtlinge kümmern. Es gibt ein neues Deutschland, zu .... (7) viele Religionen, Hautfarben und Kulturen gehören.

D. Ergänzen Sie mit dem Definitpronomen im Genitiv.

a. die Menschen d.......... Land..........

b. die Rede d.......... Bundespräsident..........

c. der Tag d.......... deutschen Einheit

d. die Ankunft d.......... Flüchtlinge

e. der Respekt d.......... verschiedenen Kulturen und Religionen

f. die Hoffnung d.......... Redner..........

g. ein Tag d.......... Erinnerungen

3. Flüchtlinge willkommen!

A. Sehen Sie sich das Logo der Initiative an und lesen Sie den Begleittext. Antworten Sie auf die unten stehenden Fragen.

Flüchtlinge Willkommen

Warum können geflüchtete Menschen in Deutschland nicht einfach in WGs* wohnen statt in Massenunterkünften?!

Das haben wir uns auch gefragt & einen Weg gefunden, das möglich zu machen.

*oder anderen privaten Wohnsituationen

Aus: www.fluechtlinge-willkommen.de

1. Wo wohnen Flüchtlinge normalerweise? ....

....

2. Wo sollten Flüchtlinge auch wohnen können? ....

....

6 Grenzgänger

B. Sehen Sie sich das Präsentationsvideo der drei Initiatoren an. Ordnen Sie jeder Person die Gründe zu, die zu diesem Projekt geführt haben.
Film 10

	Mareike	Golde	Jonas
1. Es ist nicht schwer, WGs für die Neuankömmlinge zu finden.			
2. Eine WG bietet die Möglichkeit, sich wirklich kennenzulernen.			
3. Wir sehen, dass dieses Zusammenleben in WGs unsere Kultur bereichert.			
4. Wenn eine WG mit drei Personen einen Flüchtling aufnimmt, so lernen auch deren Familien und Freunde diesen Menschen kennen und er sie: Das ist sehr positiv.			
5. Unsere erste Erfahrung war, selbst das Zimmer in unserer Wohnung an jemanden zu geben, der sonst in einer Massenunterkunft leben müsste.			
6. Kein Mensch flieht ohne Grund, das sollte man nie vergessen!			
7. Wir helfen auf privater Basis, weil die bürokratischen Prozesse sehr langsam sind.			
8. Wir helfen Menschen, die neu in Deutschland sind, sich hier zu integrieren.			
9. Die Massenunterkünfte liegen oft außerhalb der Stadt: Deshalb sind die Menschen dort isoliert.			

C. Sehen Sie sich das Video noch mal an. Sind die folgenden Aussagen richtig (**R**) oder falsch (**F**)? Film 10

Was habe ich verstanden?

- ☐ **1.** Ein Zimmer in einer WG zu vermieten ist sehr kompliziert.
- ☐ **2.** Im Gegensatz zu Massenunterkünften liegen die WGs oft am Stadtrand.
- ☐ **3.** In einer WG zu leben hat viele Vorteile.
- ☐ **4.** In einer WG zu leben ermöglicht es, Kontakt zu vielen Menschen aufzubauen.
- ☐ **5.** Die Initiative dient dazu, Vorurteile abzubauen.
- ☐ **6.** Flüchtlinge können sich besser integrieren, wenn sie Kontakt zu den Einheimischen bekommen.

I Demografie und Wohnen

→ Livre p. 106

1. Deutschland verändert sich ...

A. Welche Aussage passt zu welcher Grafik? Notieren Sie.

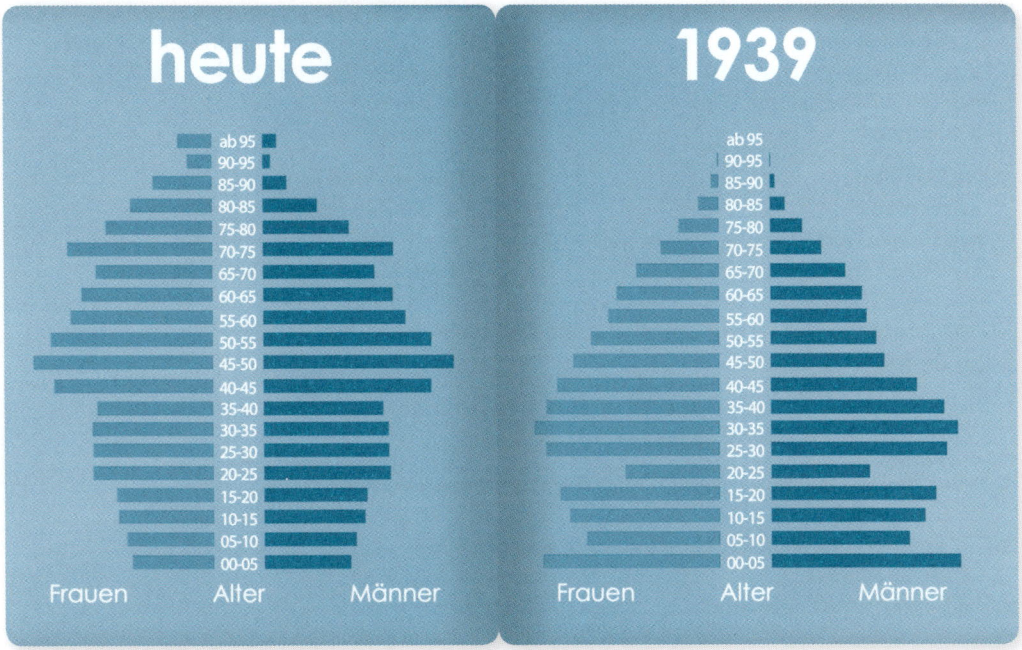

1. Viele Menschen erreichen ein Alter von 85 bis 90 Jahren. ➤ heute
2. Besonders viele Menschen sind zwischen 45 und 50 Jahre alt. ➤ ....
3. Die Altersgruppe zwischen 20 und 25 Jahren ist besonders klein. ➤ ....
4. Nur wenige Menschen werden älter als 85 Jahre. ➤ ....
5. Die Frauen leben länger als die Männer. ➤ ....
6. Männer und Frauen werden ungefähr gleich alt. ➤ ....
7. Nicht wenige Menschen werden älter als 95. ➤ ....
8. Es gibt viele Kinder und Jugendliche, was eine solide Basis der Alterspyramide bildet. ➤ ....

B. Sehen Sie sich das Video an und machen Sie sich Notizen zu den folgenden Punkten. **Film 11**

1. Wie entwickelt sich die Bevölkerung Deutschlands? ....
....
2. Was passiert seit den 1970er Jahren? ....
....
3. Inwiefern ist Deutschland ein „Zuwanderungsland“? ....
....

C. Sehen Sie sich das Video noch einmal an und kreuzen Sie die richtige Aussage an. **Film 11**

Was habe ich verstanden?

1. Deutschland ist die Heimat von ...
- ☐ **a.** 60 Millionen Menschen.
- ☐ **b.** 18 Millionen Menschen.
- ☐ **c.** 80 Millionen Menschen.

2. Die Bevölkerung ...
- ☐ **a.** wird jünger.
- ☐ **b.** altert und schrumpft.
- ☐ **c.** nimmt zu.

3. Die Fertilität ...
- ☐ **a.** ist relativ hoch.
- ☐ **b.** ist immer noch dieselbe wie vor 40 Jahren.
- ☐ **c.** ist sehr niedrig.

4. Die Bevölkerungszahl in Deutschland ...
- ☐ **a.** nimmt zu.
- ☐ **b.** sinkt.
- ☐ **c.** bleibt auf konstantem Niveau.

5. Die Lebenserwartung in Deutschland ...
- ☐ **a.** ist seit Jahren gleich.
- ☐ **b.** sinkt.
- ☐ **c.** steigt.

6. Deutschland ist ...
- ☐ **a.** ein Zuwanderungsland.
- ☐ **b.** ein Auswanderungsland.
- ☐ **c.** ein Emigrationsland.

D. Inwiefern verändert die Zuwanderung Deutschlands Perspektiven? Formulieren Sie im Futur.

1. Die Zusammensetzung der Gesellschaft / sich verändern
Die Zusammensetzung der Gesellschaft wird sich verändern.

2. Jeder fünfte Einwohner / einen Migrationshintergrund haben ....

3. Die Bevölkerungszahl / nicht mehr so drastisch sinken ....

4. Die Fertilität / zunehmen ....

5. Deutschland / die Heimat von über 80 Millionen Menschen sein ....

6. Der Wohlstand / sich vielleicht besser verteilen ....

2. „Wohnen für Hilfe“

A. Lesen Sie den Text und markieren Sie die folgenden Informationen in drei verschiedenen Farben.

Motivation für diese Wohnform

Mögliche Aufgaben in einer Wohnpartnerschaft

Dinge, die nicht erlaubt sind

A

Günstig und komfortabel wohnen in einer Uni-Stadt, wo bezahlbare Wohnungen selten sind. Davon träumt jeder Student. In vielen Städten bietet das Projekt „Wohnen für Hilfe“ inzwischen diese Möglichkeit.

„Wohnen für Hilfe“ bedeutet: Studenten leben mit Menschen in einer Wohngemeinschaft zusammen, die Hilfe benötigen. Dafür zahlen sie weniger Miete. In der Regel gilt: Eine Stunde Arbeit im Monat pro Quadratmeter Wohnfläche. Die Aufgaben sind vielfältig und werden individuell festgelegt: Einkaufen, Kochen, Staubsaugen, Gartenpflege oder Hausaufgabenhilfe. Ausgenommen sind jedoch Pflegeleistungen jeglicher Art. Studentenwerke oder soziale Einrichtungen vermitteln die Interessenten. In Freiburg etwa gibt es inzwischen schon etwa 250 Wohnpartnerschaften.

B

„Wohnen für Hilfe“ ist eine Win-Win-Situation für beide Seiten. Die Senioren sind weniger einsam und bekommen Hilfe, die Studenten wohnen komfortabel und günstig. Zunehmend interessieren sich auch Familien und Berufstätige für das Angebot. Manche wünschen sich Nachhilfe für ihre Kinder, andere eine Versorgung der Haustiere. Durchschnittlich bleiben die Studenten zwei bis drei Jahre in der Wohnpartnerschaft.

Wichtig beim Projekt „Wohnen für Hilfe“ ist: Das Leben in einer Wohngemeinschaft mit Senioren oder Familien unterscheidet sich von dem in einer klassischen Studenten-WG. Durchfeierte Nächte oder ausschweifende WG-Partys gibt es nicht.

Aus: www.wg-gesucht.de/artikel/wohnen-fuer-hilfe-win-win-situation-fuer-rentner-und-studenten

B. Was halten Sie persönlich von dieser Wohnform? Sie können Argumente aus dem Text verwenden.

C. Sie möchten sich bei „Wohnen für Hilfe“ bewerben und verfassen ein Bewerbungsschreiben. Verwenden Sie folgende Struktur.

1. **Begrüßungsformel** (Hallo! / Liebe/r ... / Sehr geehrte/r ...)
2. **Einleitungssatz** (Sie erklären, wo Sie die Anzeige gelesen haben)
3. **Persönliche Angaben** (Name / Alter / Studium / Familie / Haustiere oder nicht / eventuelle Allergien / Hobbys und Interessen ...)
4. **Ihre Persönlichkeit** (kontaktfreudig / hilfsbereit /tierlieb / ordentlich ...)
5. **Ihre Motivation und Ihre Gründe für die Wahl dieser Wohnform**

7 Neues Wohnen

II Anders wohnen

→ Livre p. 109

1. Fliegende Häuser

A. Sehen Sie sich das Video an und machen Sie sich Notizen. **Film 12**

1. Erklären Sie mit eigenen Worten, warum diese Bauform so heißt.

2. Handelt es sich hier um individuelle Projekte oder um Serienproduktionen?

3. Was erfahren Sie zum Stichwort „Ökobilanz"?

4. Für wen eignet sich diese Art Haus?

B. Sehen Sie sich das Video noch einmal an und streichen Sie jeweils die falsche Information. **Film 12**

Was habe ich verstanden?

1. Das Fertighaus gab es schon **im Mittelalter | während der Industrialisierung**.
2. Ein Flying Space ist **ein Haus, das beweglich ist | eine Art Fertighaus**.
3. Diese Häuser kann man **individuell planen | nur fix und fertig bestellen**.
4. Die Herstellung dauert zwischen **10 und 15 Monaten | 6 und 11 Monaten**.
5. Der Preis beträgt ungefähr **1000€ | 2000€** pro Quadratmeter.
6. Diese Häuser sind ideal **für besonders große Familien | für Familien, Paare oder Singles**.

2. Unser Promo-Video

A. Sehen Sie sich die Fotos an und schreiben Sie einen Kurzbericht im Passiv Präsens. Folgende Ausdrücke können Ihnen dabei helfen.

das Flying Space | auf einen Laster laden

der Kran | vor Ort installieren

die Details | am Boden montieren | die Handwerker

die Familie und das Bauteam | vor dem Flying Space fotografieren

....

....

....

....

B. Unser Promo-Video: Notieren Sie, was Ihnen zu den folgenden Aspekten einfällt.

1. Dauer der Installierung: ....
2. Anzahl der benötigten Mitarbeiter: ....
3. Sicherheit: ....
4. Design und Stil: ....
5. Umgebung: ....
6. Familie: ....

C. Jetzt sind Sie Reporter/in: Verfassen Sie das Skript mithilfe der folgenden Ausdrücke.

der Kran | das FlyingSpace bringen | vom LKW herunterladen | alles montieren | am gleichen Abend das FlyingSpace beziehen können | eine Attraktion für das Viertel sein | einen Schnappschuss als Erinnerung machen | die ideale Erweiterung eines Einfamilienhauses sein

In Balingen soll ein Wohnhaus mit einem Flying Space erweitert werden. ....

....

....

....

....

3. Alternativen für Mutige

A. Hören Sie die Interviews. Welche Wohnformen werden erwähnt?

CD p. 20 / MP3 p. 07

ein Mehrgenerationenhaus | **eine Jurte** | **eine WG** | **ein ökologisches Passivhaus**

Interview 1: ....
Vorteile: ....

Interview 2: ....
Vorteile: ....

Interview 3: ....
Vorteile: ....

Interview 4: ....
Vorteile: ....

B. Hören Sie noch einmal und notieren Sie zu jeder Wohnform die Vorteile, die von der interviewten Person genannt werden.

7 Neues Wohnen

C. Lesen Sie den Artikel und markieren Sie jeweils die folgenden Informationen im Text.

a. Berufsleben der Jurtenbewohner

b. Vorteile und Nachteile des Lebens in der Jurte

c. Ursprung und Vorzüge der Jurte

Adieu Doppelhaushälfte, hallo Jurte

Jurte - das kommt vom türkischen Wort „yurt“ und bedeutet „Heim“. Die traditionelle Behausung der mongolischen Nomaden ist eine Kreuzung aus Haus und Zelt, die Wände bestehen aus einem klappbaren Holzgerüst und Stoffplanen. Die Jurte kann innerhalb weniger Stunden abgebaut und so klein zusammengefaltet werden, dass alles auf zwei Kamele oder auf die Ladefläche eines Geländewagens passt.

Für mongolische Viehhirten, die mit ihren Herden über die Steppe ziehen, mag diese Lebensweise sinnvoll erscheinen – aber warum entschließen sich zwei junge Deutsche gegen den hierzulande handelsüblichen Traum von einer Doppelhaushälfte mit Garten, Flachbildfernseher, Sofalandschaft, Kombi und Einbauküche?

Weniger Besitz, weniger Kosten, weniger Stress – dafür mehr Zeit, mehr Freiheit, mehr Nähe zur Natur, das war die Idee, als sich die beiden entschlossen, in eine selbst gebaute Jurte zu ziehen. „Von unserem Hab und Gut haben wir uns weitgehend getrennt“, sagt David Schuster, „wir streben eine Reduzierung unseres Besitzes an.“

Sechs Meter Durchmesser hat die kreisförmige Behausung, und darin findet fast alles Platz, was der Kleinfamilie gehört. Es ist nicht viel, was die drei zum Leben brauchen: ein Bett, ein paar Hocker, ein gusseiserner Holzofen, ein paar Küchenutensilien, diverses Werkzeug, ein Akkordeon, selbst geschnitztes Holzspielzeug, eine Kiste voll mit den nötigsten Klamotten.

[...] Nadja arbeitete unter anderem als Zeitungsausträgerin, Museumswärterin und Bedienung; David absolvierte eine Ausbildung als Wildnis-Pädagoge und fing an, Bogenbau-Kurse und Wildnis-Seminare zu geben, mit denen er bis heute sein Geld verdient. [...]

Eine runde Geschichte

Außerdem, und das ist fast der wichtigste Punkt: „Diesen Druck, so viel Geld zu verdienen, dass man die teure Miete und ein Leben in der Stadt bezahlen kann, kennen wir nicht“, sagt David. Etwa 10 000 Euro im Jahr brauche die Familie zum Leben, inklusive Versicherungen, Bekleidung und Lebensmittel. Dafür verzichten sie freilich auch weitgehend auf Luxus.

Neben den elektrischen Kochplatten gibt es allerdings noch ein paar andere Kompromisse: Sie besitzen ein Handy, einen Computer und ein Auto, sonst wäre Davids Arbeit und vieles andere nicht organisierbar. [...]

Aus: www.sueddeutsche.de,
Beitrag von Titus Arnu,
28. 7. 2013

D. Lesen Sie den Text noch einmal. Notieren Sie, ob die Aussage jeweils richtig (**R**) oder falsch (**F**) ist und unterstreichen Sie die richtige Aussage im Text.

Was habe ich verstanden?

- ☐ **1.** Der Aufbau einer Jurte ist langwierig und kompliziert.
- ☐ **2.** Diese Lebensweise stammt aus der Türkei.
- ☐ **3.** Menschen interessieren sich heute für diese Behausung, weil sie Freiheit und Naturnähe symbolisiert.
- ☐ **4.** In der Jurte dieser Kleinfamilie gibt es nichts aus Holz.
- ☐ **5.** Das junge Paar, das in der Jurte wohnt, ist arbeitslos.
- ☐ **6.** Diese Familie ist gegen den technischen Fortschritt.